AF295188

DIOR - Le bonheur volontaire

Éditions DIASPORAS NOIRES

www.diasporas-noires.com

<u>Illustration couverture :</u>

Par la peintre camerounaise Tado

Mame Hulo

DIOR

Le bonheur volontaire

ROMAN

DIOR - Le bonheur volontaire

Je dédie ce livre

À ma mère Aida

ma meilleure amie, si volontaire, qui me soutient par son amour inconditionnel, quoi que je fasse

À mon père Gaston Édouard

le plus magnifique être humain que j'ai jamais rencontré

À Vincent

pour son amour, son amitié, son soutien

À ma grande sœur Jeanne

avec qui j'ai cheminé dans cette histoire

À ma grand-mère Astou

la figure si bienveillante et aimante de mon enfance

À ma tante Dialé, si dévouée

À mes frères et soeurs, à toute ma famille

À toutes les personnes que j'ai croisées dans mon enfance, car sans elles, ma vie ne serait pas ce qu'elle est.

Tout ce qui arrive est nécessaire !

LA VISITEUSE

Elle était assise là dans ce fauteuil au bord de la fenêtre où elle semblait attendre quelque chose. Quelque chose d'important ! Elle avait un air emprunté, mais quelle élégance, quel orgueil ! Je la regardais de loin, curieuse et impressionnée. Je la trouvais belle comme une étoile. Tout mon être était tendu vers cette apparition, venue de je ne sais où, peut-être du fond de moi ! Comment savoir ? Elle dégageait de la souffrance, une souffrance pourtant invisible...

Pourquoi m'apparaissait-elle alors, cette souffrance ?

Une voix impatiente disait : « Viens ici, viens dire bonjour ! » et cette voix s'adressait à moi.

Je l'avais certainement déjà vue, déjà aimée...

Je me souviens d'elle, dans une cage de verre, avec moi, il y a longtemps, une éternité. C'est là que je l'ai connue. En ce temps-là, j'entendais toujours la même musique, je me souviendrai toujours de cette musique. Et il y avait plein de gens au-dehors, ils n'avaient pas l'air commode. Peut-être n'étaient-ils que sournois ?

Est-ce à cause d'eux qu'elle avait été malheureuse ? Oui, je la sentais malheureuse, dans la cage de verre, avec cette musique, je me souviens !

Et là maintenant, ils avaient l'air toujours aussi sournois avec la visiteuse assise dans le fauteuil. Elle, elle était digne !

« Viens m'embrasser », disait-elle doucement comme une prière en souriant, les yeux brillants, la main tendue avec retenue.

C'était mon désir, mais j'étais incapable de bouger. Je n'étais pas libre de courir l'embrasser.

Je ressentais sur moi leurs regards, je me débattais dans la prison invisible que leurs regards acides dressaient tout autour de moi. J'encourrais une peine, c'était sûr...

« Allez viens, ne joue pas la timide, viens saluer ta mère. »

Ah, c'était donc ça ! C'était Ma Mère ! Je la reconnaissais, je l'avais déjà vue, déjà aimée !

J'avançais alors lentement comme hypnotisée et lorsque j'arrivais à sa portée, elle me serra dans ses bras avec un soupir d'aise à peine réprimé. Ses lèvres coururent partout sur mon visage. Je me sentais fondre littéralement. Mon cœur battait contre son cœur et ma peau se nouait à la sienne.

Pourquoi ces gens restaient-ils là à nous regarder ?

« Eh bien, tu vois que tu peux être gentille quand tu veux ! »

« Alors comme ça, tu ne reconnaissais pas ta mère ? Tu l'as donc oubliée ? » disait la voix acérée, la voix d'une marâtre.

Et ma mère répondait avec des larmes dans les yeux : « la dernière fois que je suis venue, elle était malade. Elle ne se rend pas bien compte, elle est si jeune, elle n'a que trois ans ! »

La pression de ses bras se faisait plus forte autour de mon corps. J'en profitais pour me lover encore plus contre le beau tissu parfumé, contre le ventre, contre les seins et là je retrouvais enfin la sphère d'amour. Ici, c'était ma maison, mon refuge, ma cage à moi.

Et la goutte revint à la mer...

Moi, la tête enfouie dans ce ventre, je n'entendais plus rien de leurs bavardages malfaisants, cherchant à la déconcentrer, à lui voler ces instants déjà si mesquinement accordés. Qui étaient-ils donc pour décider de nous ? Quelle était donc cette loi, qui m'empêchait de rester là définitivement ? Je ne voulais plus les entendre, je ne voulais plus les voir.

Combien de temps ai-je pu rester là contre elle, une seconde, une minute, une heure? Probablement pas longtemps, pas longtemps...

Et voilà que soudain, je sentais qu'elle essayait de me détacher d'elle tout doucement. C'était la mort qui me guettait. Rassemblant toute mon énergie, les pauvres forces de mes trois ans, je m'accrochais comme une sangsue, pire qu'une sangsue.

« Il faut que j'y aille ma chérie, il se fait tard ! »

« Aller viens, descends de là, maintenant tu vas aller te coucher ! »

Jamais ! Vous ne m'aurez pas ! Je serai plus forte que vous ! Si vous n'arrivez pas à me décoller, si je retourne dans son ventre, alors peut-être renoncerez-vous à moi.

« Ne fais pas l'enfant gâté, on t'a dit de laisser partir ta mère tranquillement sans faire d'histoires sinon elle ne reviendra plus te voir ! »

Et moi je m'accrochais toujours, aveuglément, désespérément.

Un chagrin infini commençait à m'envahir, les larmes ne tardèrent pas à me secouer tout entière, des larmes venues de si loin, de la source du monde, des larmes venues de la cage de verre.

Maintenant, des mains brutales me tiraient hors du ventre où je m'étais abritée. Mes yeux rencontraient ses yeux noyés d'impuissance et des mêmes vieilles larmes, elles étaient si vieilles, si parcimonieuses, si brillantes. On aurait dit des diamants, des larmes de diamants.

Mes mains pleines de détresse firent craquer le beau tissu fleuri. La dernière prise était lâchée, mes membres battirent le vide autour, la tempête se déclencha dans un effrayant désert, un désert d'amour.

Je hurlais toute ma révolte pendant que des bras rudes m'emportaient au loin. Le vide intégral se referma sur moi et sur mon dernier sanglot « je veeeux maaa maaamaaan !!! »

Ainsi passa ma petite enfance, rythmée de ces bonheurs illuminés de très courte durée, de ces immenses vagues de chagrin, suivis d'un néant affectif presque serein qui me séparait toujours de sa prochaine visite.

LE JARDIN DE MON ENFANCE

Je me souviens dans mon enfance d'une longue silhouette, fragile et blanche, d'une jupe large flottant autour d'une taille de guêpe, d'une chevelure couleur paille flottante aussi.

Je me souviens de son prénom, mais son nom de famille et son visage sont à jamais restés dans les brumes profondes de ma petite jeunesse. Mademoiselle Odile ! La très gentille maîtresse du jardin de mon enfance.

Je me souviens de la pâte à modeler, des cubes, des bâtonnets de toutes tailles et de toutes couleurs surtout vives.

Je me souviens de l'amitié, oui déjà ! D'une tignasse brune et bouclée, d'un petit sourire en coin tendre et ironique, déjà. Sara, la fille du pharmacien. Je me souviens de la boutique de son père et des pastilles fruitées, une sorte de privilège, un privilège déjà.

Je me souviens de mes peurs, de mon ventre qui se nouait sans crier gare, signe qu'un danger était là, une réprimande imminente par exemple, quand ce n'était pas des claques. Mon ventre ne me trompait jamais.

La culpabilité me rongeait à tout instant, sans arrêt, sans raison.

Je me souviens de ces questions permanentes qui me taraudaient : « Qu'est ce que j'ai fait ? Est-ce mal ? Va-t-on me réprimander ? Me frapper ? » Et quand je ne me les posais pas toutes ces questions, je me souviens de l'orage, imprévisible cataclysme qui s'abattait sur moi, coupable d'imprévoyance. Je me souviens des punitions violentes ou non, méritées ou non, comprises ou non.

Je me souviens d'un monde obscur difficile à décoder pour moi, de toutes les embûches, des coups qui pleuvaient, de l'amour qui manquait, de l'amitié enfantine solidaire, mais toujours impuissante, des bribes de conversation incompréhensibles, d'impressions inapprofondies, d'émotions envahissantes, de la mort mystérieuse, d'une haine fugitive dans un regard d'adulte et de mon cheminement difficile dans la solitude.

Je me souviens de ma peur dans la nuit noire, de la nuit et de ses bruits. Les bruits de la mort. Les longs hurlements d'un chien, le chant accompagnant un enterrement à l'aube noire. Un chant glacé d'outre-tombe.

Et moi, pauvre fœtus recroquevillé sous le drap, carapace bien mince et bien insuffisante, les yeux et les poings serrés, le cœur tremblant tout le long de la nuit...

Je me souviens aussi du plaisir de vivre et de survivre, je me souviens du bonheur d'aimer et d'être aimé surtout par ma mère, de l'amitié comme refuge, de l'école comme lieu de joie. Oui dans cette école, quelques réponses fournies comme mode d'emploi du monde si vaste et si inquiétant.

Et puis dans cette école venait la visiteuse.

Elle s'avançait dans la grande cour de récréation vide à cette heure du matin, de sa démarche nonchalante et altière.

Dans les autres classes qui bordaient la cour, le brouhaha cessait l'espace d'un temps, le temps de sa traversée. Une belle traversée qu'on aurait dite mise en scène pour tous ces petits regards et ces cous tendus au-dessus des pupitres et des encriers...
En chuchotant, Mademoiselle Odile allait l'accueillir chaleureusement à la porte de la classe, puis elle venait me chercher, me prenait la main et me menait à elle.

Elle saisissait fiévreusement ma petite menotte et on s'éloignait ensemble dans un coin de la cour à l'abri de ces milliers d'yeux. Un petit coin de paradis, jamais plus bonheur de la vie ne pourra être aussi absolu...

Les retrouvailles des chairs, des lèvres, les battements des cœurs qui s'écoutent, les yeux qui se ferment sous le poids de l'amour. Le beau rêve de la dernière visite qui reprenait exactement là où il s'était arrêté. La douleur oubliée, le parfum maternel qui m'enivrait à nouveau, comme une récompense. Elle me fredonnait tout bas des chansons d'amour.

Nous préférions de loin ces visites-là à l'école, car nous étions plus libres, seules et libres durant des heures sous la bienveillance de Mademoiselle Odile qui avait épousé la cause de cette femme jeune et auréolée d'une sombre clarté.

Quand elle lui avait raconté l'histoire, les visites de plus en plus pénibles à assumer devant une famille si glaciale, elle l'avait rassurée : « Venez ici, à l'école, autant que vous voulez, je vous la laisserai. Vous pourrez en profiter tranquillement, jouer avec elle. Allez, ne vous en faites plus ! »

Elle ne se l'était pas fait dire deux fois. Elle venait presque tous les jours... Le soleil était revenu dans sa vie.

La directrice avait demandé des explications à Mademoiselle Odile sur les va-et-vient incessants de cette femme dans la cour de son école.

Il avait fallu défendre son point de vue, la défendre elle, argumenter afin de vaincre ses dernières réticences et obtenir l'autorisation de me laisser manquer la classe pour rendre à ma mère son sourire.

Et ni la directrice, ni Mademoiselle Odile, ni moi malgré mon jeune âge ne trahîmes jamais le secret de ces visites auprès d'aucun membre de ma famille.

Et l'on s'est mis à détester violemment les vacances scolaires !

DIEU

J'ai entendu parler du « petit Jésus » par mon père et puis à l'école, il y avait une croix accrochée dans la classe. D'ailleurs, sur cette croix, je ne le trouvais pas si petit que ça. Sara m'a dit qu'il était Dieu et moi j'ai répondu qu'il y en avait beaucoup qui portaient ce nom-là et qui étaient pourtant très différents.

Par exemple, ma mère en connaissait un, il était très sévère et on ne savait pas comment il était physiquement, car personne ne l'avait jamais vu ! Il n'avait pas de croix et son deuxième nom était Allah.

Mon père celui qu'il aimait, c'était Jésus. J'ai vu une petite croix sur sa poitrine. Quand on allait à l'église qui faisait partie de la cour de l'école, il lui parlait en fermant les yeux, lui demandait des choses et après, il disait merci en faisant le signe de croix.

Il y avait beaucoup de choses que je ne comprenais pas... Un jour, il y avait une messe importante et c'était un jour d'école. Papa est venu me chercher en classe et nous y sommes allés tous les deux. Il y avait beaucoup de gens dans l'église et ils étaient bien habillés, ils faisaient le signe de la croix en s'agenouillant, les yeux fermés devant des personnages en pierre qui trônaient dans l'édifice. Il y avait le petit Jésus dans les bras de sa maman, la vierge Marie et il était mignon. C'est le seul endroit où je le voyais petit...

Le père François qui faisait la classe à la grande sœur de Sara était là aussi, habillé comme un roi mage et qui faisait des choses bizarres, parlait en ouvrant les bras au ciel, chantait ou lisait dans un grand livre...

Je regardais tout cela avec curiosité et l'atmosphère respectueuse et solennelle commençait à me gagner malgré moi... Je ressentais une émotion inconnue.

Il faut dire que ce lieu était le plus extraordinaire que je n'avais jamais vu, avec une hauteur vertigineuse et des fenêtres immenses dessinées comme des tableaux très colorés. Tous ces personnages et cette lumière. Cet autel majestueux, les bancs en bois ciré, le carrelage... Tout était beau même les chants et les regards... Quelqu'un vint à passer dans les allées avec un beau panier cousu de satin et les gens se mirent à donner de l'argent. Moi aussi, j'avais dix francs que Papa m'avait donnés en arrivant, je sortis la pièce sans réfléchir et la laissa tomber dans le panier quand il arriva à ma hauteur. J'échangeai un regard de complicité avec mon père et lui serrai un peu plus la main. Puis, j'attendis la suite. Il y eut des rangées de gens se dirigeant vers l'autel où le père François les attendait pour leur donner quelque chose à manger. Ils mâchonnaient d'un air d'extase en regagnant leur place. Mon père s'avança à son tour et je le suivis

Il m'arrêta et me dis :
- « pas toi, ma chérie ! »
- « Pourquoi ? »
- « Parce que tu es trop jeune ! Quand tu seras plus grande, tu pourras y aller ! »

- « Non, je veux y aller, j'ai donné mes dix francs ! »

Les gens commençaient à se retourner sur nous. La colère et les larmes m'envahirent :

- « Je veux y aller, je veux un bonbon, moi aussi ! »

- « Non, chérie, regarde, je n'y vais plus ! »

- « Je veux y aller ! Petit Jésus rends-moi mes dix francs ! Petit Jésus rends-moi mes dix francs ! ».

Et je me mis à hurler en me roulant par terre.

- « Petit Jésus rends-moi mes dix francs ! Petit Jésus rends-moi mes dix francs ! ».

Toute la cérémonie était maintenant perturbée, mon père qui essayait de m'entraîner vers la sortie me souleva comme une feuille et je me retrouvais dehors comme une malpropre. Il prit dix francs dans son porte-monnaie et me les donna en souriant et cela me calma instantanément.

Papa avait l'air moitié amusé, moitié mortifié de l'incident. Quelques instants plus tard, je fus saluée par tout le monde sur le parvis de l'église avec plein de pièces de dix francs dans ma main trop petite pour les contenir. Quelqu'un me dit « tu vois, comme on dit, Jésus t'a rendu au centuple », je ne comprenais pas ces paroles…

Je me sentis très importante de susciter autant de commentaires et de bienveillance...

Un jour, toute la classe médusée assista à une scène que fit le papa de Sara, il vint fustiger la maitresse en disant que sa fille était musulmane, que cette école qui était payante n'était pas censée apporter une autre religion à sa fille. Il menaça de la retirer...

Nous ne comprenions pas cette scène, mais cela avait l'air grave pour ma pauvre amie Sara…

C'est vrai, on faisait une petite prière le matin avant de commencer la classe, la maitresse disait aux enfants musulmans de faire une prière sans faire le signe de croix, mais les enfants aiment bien faire comme les autres, la pauvre maitresse ne pouvait pas les en empêcher…

Le lendemain, la pauvre Sara fut traînée dans une maison modeste et présentée à un monsieur barbu à l'air très sévère, assis par terre sur une peau de mouton tannée. À côté de lui, assis à même le sol, d'autres enfants traçaient des traits sur des pupitres en bois calés sur leurs genoux. Elle ne comprenait pas la conversation, sauf qu'il s'agissait d'elle et de son éducation. Sans plus de procès, elle se retrouva ahurie parmi les gamins, avec les mêmes instruments à la main.

Elle se demandait si elle avait changé d'école ou quoi ? En tous les cas, celle-ci ne lui plaisait pas du tout !

Elle devait hurler des choses incompréhensibles en même temps que les autres sinon elle avait une taloche sur la tête. Elle devait apprendre une autre écriture que celle que nous nous escrimions à apprendre dans notre école.

Ce premier jour fut un cauchemar pour elle et la laissa malheureuse et désemparée !

Elle me le raconta le jour suivant pendant la récréation, nous avions très peur d'être séparées si elle changeait d'école comme elle le craignait…

Je la trainais dans la petite église en lui disant que le petit Jésus allait tout arranger pour elle, si elle le lui demandait… Et qu'il était très puissant même s'il était en pierre et en bois.

Nous allâmes devant l'autel et lui demandâmes de la sortir de là, et qu'en échange, nous allions lui obéir désormais ! D'ailleurs, je lui promis de lui redonner les dix francs dès que j'en aurais à nouveau...

Sara comprit bientôt qu'elle ne devait aller à cette nouvelle école qu'une fois par semaine le jeudi et non pas tous les jours comme nous le croyions ! Nous y vîmes l'œuvre de notre nouvel ami Jésus et le remerciâmes éperdument de l'avoir un tant soit peu épargnée...

Mais elle apprit très vite à cette école coranique, que la famille de Jésus n'était pas une fréquentation recommandable, que des gens comme moi et mon père étaient méprisables, car « impies » et que notre Dieu n'était pas le bon.

Nous ne comprenions décidément rien à tout cela !!!

L'INNOCENCE ENSEVELIE

On m'aimait, m'assurait-on, tout ce que je subissais, était pour mon bien. Mais moi, je soupçonnais qu'on me faisait payer des dettes inconnues.

Car j'avais beau ne rien connaître à la vie, ne rien comprendre à l'utilité de l'éducation que l'on me dispensait, je connaissais à coup sûr l'injustice implacable qui l'accompagnait systématiquement.

Oui, cette injustice-là m'était familière. J'avais beau être trop jeune pour comprendre quoique ce fut, je constatais que les enfants aimés, par exemple mes demi-frères et ma soeur, eux étaient éduqués et aimés tout autrement.

J'étais sûre que rien n'obligeait cette dureté exorbitante au fond de leurs yeux, rien ne les obligeait à autant de méchanceté et d'agacement dès que je faisais un geste ou tentais une parole. Le pire c'est quand une allusion venait soudain du genre « connaissant sa mère, elle ne peut être que comme ça… »

Seuls les jours où mon père était dans les parages, leurs regards s'efforçaient de refléter une indulgence jamais ressentie. Et moi, toute jeune que j'étais, je voyais bien la différence, la haine camouflée en gentillesse soudaine et miraculeuse. Je voyais que toute cette comédie était étroitement liée aux apparitions et aux disparitions de mon père.

Seul mon père m'aimait dans cette maison, bien qu'il eut l'air soumis à une sorte de retenue dans cet amour qu'il me portait comme une chose inavouée.

Parfois, je distinguais dans ses yeux une lueur de compassion à mon endroit. Il ne m'exprimait son affection que quand nous étions seuls lui et moi, donc autant dire jamais. Lui, qui avait des droits quasi illimités sur toute la famille et apparemment au-delà, semblait incapable d'améliorer la vie affective de sa petite fille.

Et maintenant que j'étais un peu plus grande, ma mère ne pouvait plus venir à l'école aussi souvent, je n'étais plus au jardin d'enfants et Mademoiselle Odile n'était plus là... J'avais une maitresse plus sévère et beaucoup de choses à apprendre, donc plus question de prendre du temps pendant la classe pour être avec ma mère... Le temps de mademoiselle Odile était loin...

Heureusement, elle apparaissait parfois tout d'un coup au détour d'une rue dans la petite ville où nous habitions, belle, élégante, parfumée et si heureuse de me voir...

Et là, j'apercevais une petite lueur dans son oeil. Un sourire attendrissant s'avançait, une main hésitante. Je la voyais comme un tableau, un ralenti.

Ses gestes se décomposaient, doucement, lentement, comme dans un sommeil.

Un temps figé l'entourait, l'encadrait, elle voulait pourtant en sortir.

Ses yeux se mouillaient... Et la petite lueur se perdait derrière une grosse goutte, un diamant, une larme parcimonieuse.

Un pied, une jambe, l'autre, des mètres à faire, encore...

La volonté s'en mêlait, se dégageait, les membres se rebiffaient, la cadence montait, le sourire aussi, le cœur battait, le sang affluait. Une jambe, l'autre, une jambe, le boubou qui s'enflait, la poitrine, le vent qui s'engouffrait…

Moi aussi, je courrais, j'accourrais vers elle, comme à chaque fois.

Est-ce un miroir ? C'est mon visage, mon sourire, mes mains, mes larmes.

Là-bas c'est moi, ce n'est pas moi. Je sais, je viens d'elle. Elle vient à moi…

L'image s'amplifiait, avançait, les bras se tendaient. Les visages s'étiraient, s'élargissaient, comme du bonheur. La bouffée arrivait, elle faisait des bonds... C'est plus très loin...

On se heurtait en plein cœur, elle m'étreignait de toutes ses forces.

La joie s'emballait, notre joie. On trébuchait, on tombait, on riait.

C'était si bon !

Mais certains jours étaient très difficiles, comme ce jour de mes 7 ans !

Des jours comme celui où le ciel m'était tombé sur la tête sans crier gare, où mon cœur avait fait des bonds insensés dans ma poitrine alors que je ne comprenais pas encore de quoi on m'accusait...

Vraiment, je ne comprenais rien à cette langue étrangère que l'on parlait autour de moi, j'essayais de saisir des brides de ce que j'avais bien pu faire dans le fracas des mots martelés, des glapissements et petit à petit, je découvrais tout de cette nouvelle horreur qui fonçait sur moi...

Je vis une main accusatrice brandir de la menue monnaie appartenant à je ne sais qui, j'entendis une voix accusatrice dire qu'elle l'avait trouvée dans mes affaires à moi, je suivis incrédule et horrifiée le mouvement accusateur qui se ruait pour voir l'endroit incriminé, la rangée qui m'était réservée dans l'armoire commune.

Je réfléchissais à tout rompre pour savoir ce qu'était venue faire là cette menue monnaie, je soupçonnais une cousine antipathique de la marâtre, âgée de quinze ans et venue en vacances chez nous depuis peu, car je n'avais encore jamais eu ce genre de problème ! Je la regardais et vis qu'elle n'était pas très à l'aise et accusait encore plus fort que les autres...

Bien malgré moi, des images récentes de lynchage d'un jeune voleur pris sur le fait au marché me revinrent en mémoire, je les chassai avec beaucoup d'effroi.

Je subis donc impuissante et misérable au point de me croire morte les regards consternés, les mines de circonstance masquant une grande satisfaction et les commentaires : « Je le savais que cette enfant était mauvaise, mais à ce point... Telle mère, telle fille ».

Je n'arrivais jamais à m'habituer à ces réflexions sur ma mère… Ces mots me faisaient toujours souffrir, me faisaient honte… Qu'avait-elle bien pu faire pour qu'on me dise cela aussi souvent ? Quel était son secret ?

J'attendais mon père avec une angoisse sans précédent, j'aurais voulu mourir avant son retour…

Je subis donc désespérée la confrontation avec mon père, sa profonde tristesse devant son enfant voleuse, si jeune et déjà voleuse et tout ceci devant l'hypocrisie dissimulant très mal la délectation générale.

On m'avait enfin trouvé une tare spectaculaire, on pouvait enfin me détester légitimement, sans crainte, sans mauvaise conscience et mon père allait être obligé désormais de me retirer le peu d'affection qu'il avait eu le droit d'afficher jusqu'ici.

Oui, désormais je n'étais plus digne de rien, démonstration à l'appui, preuves et procès verbal à l'appui.

Et, j'avoue que ce jour-là, ni mon ami Jésus, ni ma grand-mère lointaine et affectueuse, ni ma mère lointaine et aimante, ni toutes les amitiés solidaires de mon école n'ont rien pu faire pour moi. Rien ni personne ne pouvait plus désormais sauver de l'infamie une fragile enfant de sept ans.

Cette enfant-là est morte ce jour-là ! Sa jeunesse et ce qui restait de son innocence ensevelie...

Jamais cette enfant de sept ans qui est en moi, n'a oublié cette injustice à l'allure de fin du monde, cette impuissance paralysante devant la tyrannie, ces gens qui ont voulu la faire mourir si jeune de désespoir.

Ce jour de mon sinistre anniversaire, un voile épais s'est déchiré, comme si ma perception ou ma compréhension du monde était multipliée par cent d'un coup, d'un seul.

La souffrance est-elle source d'intelligence ou de meilleure compréhension du monde ?

À partir de ce jour-là, une lucidité formidable s'empara de moi, même dans les études, sorte de nuage de brumes où je faisais jusqu'ici de la figuration défensive… Je me classai première de ma classe et ne redescendit plus jamais de ce piédestal.

Derrière cette lucidité et cette clarté soudaines, vint une froide et puissante révolte, et depuis la peur me devint étrangère.

Peu de temps après, j'ai rencontré l'objet magique qui m'a sauvée de l'amertume de la vie et de la mort de l'âme. Cet objet à vrai dire, je le connaissais déjà un peu et c'était un ennemi, car jusque-là il symbolisait sans doute un effort trop grand à fournir ! Mais c'était fini les efforts...

Quand venait le soir, je retrouvais cet objet de désir, je humais son odeur si particulière qui éveillait en moi tant de rêves et d'évasions.

Et j'étais à huit ans, sur mon petit lit entouré d'ombres noires et en même temps lumineuses, qui dansaient. Oui, cette bougie et sa flamme si chères à mon regard d'enfant dans un monde si obscur. Le moment tant attendu de la journée était là ! Enfreindre l'interdit pour être libre enfin... Partir vers l'inconnu, le merveilleux, s'octroyer des océans d'amour, d'héroïsme, sans que personne n'y trouve rien à redire. Pouvoir après puiser dans ces réserves sans fin pour supporter les lendemains de brimades sans raison.

Cet objet de refuge, son image qui à elle seule me calme et me réconforte, cette musique que l'on produit quand on le manipule, ces lignes régulières qui promettent tellement de vies différentes de la mienne, qui m'appellent, qui m'aspirent et me font tout oublier. Pourquoi faut-il toujours se réveiller demain ?

Le livre était entré dans ma vie à jamais et m'a définitivement sauvée de l'absence et du désamour. Il m'avait fait croire à l'amour malgré tous les signes qui s'obstinaient à me prouver le contraire ou en tout cas son absence d'expression libre. Oui l'amour existait, mais avait juste besoin de liberté. C'est cette absence de liberté que je ne m'expliquais pas.

Donc je m'exilais avec beaucoup d'efficacité derrière les livres et les histoires qu'ils racontaient.

Quand j'allais chez ma grand-mère paternelle Salimata les jours de congé, je me souviens, elle était incapable de faire la différence entre les livres d'école et les livres de loisirs, romans, etc... Alors moi je jouais de cette confusion avec délice et ainsi je pouvais lire tout mon saoul sous le couvert des études.

Elle racontait à tout le voisinage qu'un jour sûrement j'allais devenir « présidente de la République » vu le nombre de livres que j'étudiais et la concentration dont je faisais preuve. Elle ajoutait « D'ailleurs, elle n'aura jamais de mari, parce qu'elle ne sait faire aucune tâche ménagère à cause des livres, chaque fois que je lui demande de me balayer ma chambre ou la cour, elle me répond qu'elle a des leçons à apprendre ! Je me demande à quoi va servir une femme qui ne sait pas faire la cuisine et le ménage. »

Elle riait, prenait les gens à témoin et chacun y allait de son commentaire.

Quand je passais des vacances chez elle, j'étais heureuse, car elle m'aimait. Je pouvais avec elle, jouer à l'enfant gâté et capricieux, bien sûr avec modération, car je n'étais pas habituée à ce genre de rôle, ce n'était qu'un jeu pour me permettre de vérifier les sensations des enfants dont c'était la vie de tous les jours, la vie de la plupart des enfants de mon entourage.

Je pouvais profiter de sa crédulité ou disons plutôt de son affection crédule, je pouvais enfin me sentir une enfant légère, arrêter d'être sur le qui-vive, une enfant pareille aux autres avec des histoires simples de tendresse et de réprimandes bien proportionnées aux petites fautes commises.

Je lui dois d'avoir su que le monde était malgré tout équilibré, qu'il y avait bien sûr d'un côté l'injustice, l'hostilité démesurée, mais de l'autre il y avait assurément la tendresse ordinaire et désintéressée. C'est vrai que finalement tout cela était assez équilibré.

LE VIEL HOMME VOÛTÉ

Un jour, j'avais alors 9 ans, je sortais de l'école en courant, poursuivie par des camarades de jeux, je me heurtais violemment à une canne, puis aux jambes fragiles d'un vieil homme, il tomba sur ses fesses et eut beaucoup de mal à se relever…

Un attroupement se forma rapidement autour de nous.

Au-delà de cette chute humiliante et douloureuse, ce vieil homme m'inspira instantanément de la pitié, car en le regardant dans ses yeux brouillés, je sentais comme le poids de l'âge et les maux de toute sorte l'envahir…

J'étais confuse et malheureuse de l'avoir fait tomber…

Il se releva péniblement avec mon aide et celui d'un adulte, je lui donnai sa canne et lui pris le bras pour qu'il fasse quelques pas…

Comme cela avait l'air d'aller bien, les gens retournèrent à leurs jeux et à leurs occupations…

Nous trouvâmes un banc en bois et il s'assit pour souffler un peu, je n'osais pas partir et le laisser…

Le vieux me regarda au fond des yeux pendant que je m'excusais encore piteusement et sincèrement, non sans penser aux conséquences possibles de cet incident si jamais un membre de ma famille l'apprenait…

Il me demanda « tu t'appelles comment ?»

Je lui dis mon prénom et mon nom, et là bizarrement il tressaillit et son visage changea d'expression…

« Comment s'appelle ton père ? »

Je lui dis « Édouard »

« Et ta mère c'est Dior ? » questionna-t-il anxieusement

Je lui dis timidement « oui, c'est ma mère ! »

Et là je me disais, c'est foutu, il connaissait ma famille, j'allais certainement me faire gronder quand il leur racontera cet incident…

Je voulus partir, mais sa main retint la mienne et se mit à trembler, sa voix devint rauque, comme voilée…

Il se mit à dire des paroles confuses et totalement incompréhensibles :

« Ma petite, pauvre petite, pardon, pardonne-moi le mal que je t'ai fait ! »

Je répondis « mais non monsieur, vous ne m'avez rien fait, c'est moi qui vous demande pardon de vous avoir fait tomber »

« Ma petite, je ne parle pas de ça, je te demande pardon pour le mal que j'ai fait à ta mère, à ton père, donc à toi aussi... Tu sais c'est ma faute si tes parents se sont séparés… C'est moi qui les ai séparés avec des fétiches… Tu comprends ces choses-là, ma petite ? »

Je ne comprenais rien à ce qu'il racontait, et un grand malaise commençait à me gagner et en même temps j'étais assez intriguée... Je me sentais importante qu'il me parle ainsi, qu'il me demande pardon...

Personne ne me parlait jamais de mon père et de ma mère en même temps, du temps où ils étaient ensemble, d'ailleurs c'est comme s'ils n'avaient jamais été ensemble... Comme si c'était un sujet tabou

Ma mère seule me disait quelques petites phrases par-ci, par-là, parfois avec une pointe de nostalgie dans la voix, et aussi souvent je sentais beaucoup d'amertume et de ressentiment envers mon père... Je ne savais pas d'où cela venait...

Du coup, j'ouvris grand mes yeux et mes oreilles, et je dévisageai cet homme dans l'espoir d'entendre enfin le ou les secrets si bien gardés par tous...

Et il se lança dans un plaidoyer comme pour lui-même :

« Deux membres de ta famille sont venus me voir pour que je les sépare coûte que coûte, la raison qui m'a été donnée, c'est que ta mère était musulmane, que c'est interdit par l'Islam qu'elle soit l'épouse d'un impie, d'un catholique,… J'ai fait ce travail en pensant que c'était mon devoir de réparer cela, mon devoir de musulman. Tu comprends… C'est après que j'ai compris, car la deuxième personne est revenue ensuite pour que ton père épouse sa nièce, ta belle mère actuelle… Par la suite j'ai appris par la rumeur toute l'histoire d'amour qu'il y avait eue entre ton père et ta mère et tous les obstacles qu'ils avaient du surmonter pour être ensemble… Cela m'a hanté de leur avoir fait du mal… Mais malheureusement, je n'ai pas pu réparer ce mal… Ma petite, le mal est si facile à faire, mais si difficile à défaire… Dieu m'est témoin, impossible de revenir en arrière… Je regrette… Ma pauvre enfant, j'ai demandé pardon à ta mère, je la bénis, elle est si courageuse… Depuis je prie beaucoup pour elle. Je suis désolé ma petite, pardon, pardon… »

Et ses yeux s'embrouillèrent…

Moi, je continuais à le regarder avec des yeux ronds, abasourdie, bouleversée ! Toutes sortes d'émotions se bousculaient en moi…

J'étais heureuse d'entendre que mes parents s'étaient tellement aimés… J'étais malheureuse d'entendre la raison de leur séparation… Je me sentais trahie par ces deux personnes qui avaient commandité le fameux « travail » comme le vieil homme disait, ces personnes que je voyais si gentilles et si aimables envers moi… Quelle sournoiserie !

Quelle histoire ! Quelle révélation ! Je n'en revenais pas…

« Et ma mère sait tout cela ? »

« Oui mon enfant, elle sait, je lui ai tout raconté pour me soulager et elle m'a pardonné, elle est si forte et si courageuse Dior, que Dieu la bénisse !!! Pardon, ma fille, je te demande pardon du fond du cœur, cette histoire me hante toutes les nuits… Si j'avais pu revenir en arrière, je l'aurais fait, crois-moi… Pardon ! »

Il se releva du banc avec mon aide, et nous marchâmes un peu en silence…

Puis, je me rendis compte de l'heure, si je ne rentrais pas tout de suite, j'allais me faire engueuler c'était sûr…

Je lui dis au revoir, je ressentais de la compassion pour lui, il était voûté, le pauvre, même si je commençais à réaliser petit à petit que cet homme-là était l'artisan de mon malheur, de ma vie sans amour, sans ma mère…

Je le regardais de loin et je lui lançai mentalement, ironiquement « Hé ben, beau travail Monsieur ! »

J'étais surexcitée par cette histoire, et dès que j'en eus l'occasion, j'invoquais le premier prétexte venu pour courir en cachette chez ma mère, ce qui m'était habituellement formellement interdit…

Elle fut très surprise et heureuse de me voir… C'était inespéré pour elle… Je lui manquais tellement… Tout le temps !

Dés que son étreinte se relâcha un peu, je lui racontai ma rencontre avec le vieil homme à la canne et dès que je lui dis son nom, elle s'écria d'une voix triomphale :

« Haaa, et il t'a avoué que c'est lui qui a séparé tes parents ?! »

Et je me mis à la presser de questions…

Ce jour-là, elle commença à me raconter sa vie, son histoire avec mon père…

Et chaque fois que je la voyais, elle me racontait un épisode… J'étais encore plus impatiente de la revoir que d'habitude, je fomentais des prétextes pour courir chez elle, Sara m'y aidait en demandant à mon père si je pouvais venir goûter ou réviser mes leçons chez elle… Il nous fallait être très prudentes pour ne pas se faire prendre…

J'étais passionnée par son histoire, leur histoire, mon histoire.

Son récit prit plusieurs semaines… C'était comme un de mes livres bien-aimés que j'ouvrais, refermais, et reprenais là où je m'étais arrêtée…

DIOR

CHAPITRE 1

« Maman, je vais chez ma tante », elle a crié cela rapidement et quand elle entendit les protestations, elle était déjà dehors et hors de portée. Car si elle n'avait pas procédé ainsi, elle aurait eu une énumération de mille tâches ménagères urgentes, à faire avant de pouvoir enfin y aller. Bien sûr, ce n'est pas sa tante qu'elle allait voir, mais ses cousins germains en général et l'un d'eux en particulier !

Elle était amoureuse de son cousin Édouard et autant dire qu'elle n'était pas la seule dans cette situation parmi les filles de son âge. Il était beau, élégant, le meilleur danseur de toute la ville et on se le disputait dans tous les bals et les fêtes, et Dieu sait qu'il y en avait ! Et elle était jalouse comme une tigresse et ne tolérait aucun détournement d'attention de sa personne. Il fallait qu'elle soit très vigilante elles ne pensaient toutes qu'à le lui voler.

Elle traversa la place qui la séparait de leur maison presque en courant entre les ânes, les moutons et autres bestiaux et ceux qui les négociaient à longueur de journée.

Cette place attenante au marché était une annexe en ce qui concernait le bétail et était de ce fait assez encombrée et assez bruyante ; les cris des enfants et ceux des animaux se mêlaient pendant que les commerçants se hélaient et essayaient de vendre leurs bêtes.

Il faisait une chaleur intenable et le soleil chauffait tellement, que si le pied nu effleurait le sable, il pouvait être atrocement brûlé ! C'est vrai que c'était l'heure la plus chaude de la journée !

Heureusement que cette heure était aussi celle de la sieste à l'ombre des maisons ou paillotes très fraîches dans les concessions ou des arbres à palabres dans les rues.

Elle aimait passer ce moment-là chez sa grand-mère où, outre ses cousins, cousines, il y avait des copains et copines et tout ce monde se réunissait dans la chambre d'Édouard pour faire du thé et cela pouvait durer des heures.

Parfois, la mère d'Édouard les rappelait à l'ordre, car leurs discussions et leurs rires la gênaient pendant sa sieste.

Elle essaya de se glisser dans la chambre d'Édouard au fond de la cour sans être vue de sa tante, mais comme elle passait sur la pointe de pieds devant sa chambre dont le rideau était baissé, elle le souleva en disant :

- « Qui est-ce ? Ah, c'est toi Dior ! Tu allais passer sans me dire bonjour ? Je ne t'ai pas vue depuis ce matin. »

- « C'était pour ne pas te réveiller Tante ! Bonjour »

- « Et ta mère, comment va-t-elle ? Je ne l'ai pas vue aujourd'hui ! »

- « Je pense qu'elle viendra te voir tout à l'heure quand elle aura fini de préparer le repas du soir. Et Cathy, elle est là ? »

- « Oui, dans la chambre d'Édouard et essayez de faire moins de bruit que d'habitude. On ne peut jamais se reposer avec vous dans les parages. »

- « On ne fera pas de bruit, Tante ! »

Dans la fameuse chambre, toute petite où s'entassaient déjà cinq personnes, il y avait un petit lit en fer au milieu et des petits bancs en bois très bas et c'est tout.

Elle fut saluée par des moqueries :

- « Ah voilà la tigresse qui se bat dans les bals comme une poissonnière ! »

- « Je vous dis qu'elle est folle ! »

- « Édouard faut plus la sortir »

Elle attendit d'un air hautain la fin de leurs railleries et rétorqua :

- « Édouard n'a qu'à bien se tenir et les filles n'ont qu'à le laisser tranquille et arrêter de me provoquer. C'est tout ! »

- « Bon, viens là Dior chérie, ne les écoute pas ! »

Il y avait là sa cousine Cathy, à la peau aussi noire que l'ébène, mais aux traits fins et aux cheveux très lisses issus de leur métissage de la famille de son père avec les blancs, d'ailleurs Édouard était exactement dans le même cas ! Très noir, les cheveux très lisses, des traits mi-nègres, mi-européens. C'était un très beau résultat ce mélange.

Dior était plutôt issue d'un métissage arabe et noir et elle avait la peau plus claire qu'eux.

Il y avait aussi la meilleure amie de Dior, Ndeye, une fille très belle, la vraie beauté Ouolof ; fine, grande, les yeux en amandes, le cou long et surchargé de plis qu'on dirait artistiquement tracés sur la peau, les attaches et la taille très fines, les lèvres pleines et bien ourlées.

En réalité, on n'arrêtait pas de les mettre en concurrence Dior et Ndeye, dès qu'on parlait de beauté. On pouvait presque dire que la ville était séparée en deux : ceux qui votent pour Dior et ceux qui votent pour Ndeye.

Cathy bien que très belle aussi, était exclue de ce débat, ce qui la rendait jalouse et furieuse. C'est vrai que les garçons la jugeaient plutôt inaccessible pour plusieurs raisons : elle faisait trop la « toubab » en d'autres mots, trop européenne : elle avait toujours la dernière mode de St-Louis pour ne pas dire d'Europe, des coiffures très élaborées, elle était assez snob.

En plus de tout cela, son frère la surveillait de si près que personne ne pouvait lui parler ou la faire danser sans son autorisation, quant à sortir sans lui comme chaperon n'en parlons même pas ! Il arrivait qu'ils se battent comme des chiffonniers tous les deux parce que l'un veut être obéi au doigt et à l'œil alors que l'autre voudrait bien un peu plus de liberté dans ses faits et gestes.

D'autre part, Édouard était très sportif, il était gardien de but dans l'équipe de football la plus en vue du pays le NDiambour et faisait aussi de la boxe. Donc aucun garçon n'osait le braver en approchant sa sœur, encore moins sa fiancée.

En vérité, le fait que Dior soit sa fiancée était de notoriété publique dans leur milieu de jeunes, mais ils le cachaient soigneusement à leurs parents. D'ailleurs, ces deux milieux ne communiquaient presque pas, à part des phrases respectueuses par-ci, par-là, les énumérations des devoirs quotidiens, certains interdits et conseils. Mais c'était de bons rapports tolérants et bon-enfant le reste du temps.

Dans la chambre, il y avait aussi les deux meilleurs amis d'Édouard : Assane et Badou, qui étaient gentils quoiqu'un peu moqueurs et machos au goût de Dior.

Tout ce petit monde s'amusait beaucoup ensemble et était assez heureux. Édouard en était sans conteste le leader, celui qui commandait, il était sympathique, drôle, espiègle, charmeur et en même temps coléreux, bagarreur et têtu comme une mule. Dior avait à peu de chose près le même caractère et cela conduisait souvent à donner en spectacle leurs explosions et leurs bagarres...

Ils défrayaient assez souvent la chronique, mais ils s'aimaient.

- « Il parait que ce soir, il y a un très bon film avec Jean Gabin, on y va tous ?

- « Avec quel argent ? » C'est Badou qui avait posé la question, car c'était le plus raisonnable de tous, et sa famille n'était pas du tout aisée, loin de là !

- « Moi, je dois avoir de quoi payer deux billets, pas plus ! » dit Assane.

- « Ne vous inquiétez pas, j'ai de quoi payer, je pense le reste, sinon je demanderai à ma grand-mère » tranquillisa tout le monde Édouard en versant le thé de façon très bruyante et artistique dans les petits verres à la mauresque.

- « C'est vrai que tu es le chouchou de grand-mère, elle te donne tout ce que tu veux, alors que

Dior et moi, si on lui demande quoi que ce soit, elle rameute tout le quartier en disant qu'on lui en demande trop. »

- « C'est vrai, renchérit Dior, je me demande comment tu t'y prends avec elle, elle te cède toujours tout ! »

Ndeye s'écria :

- « Mais Édouard est un charmeur, vous ne le savez pas ? Vous avez qu'à voir son succès avec les filles ! »

- « Ca va toi, tu ne vas pas remettre ça sur le tapis, Dior va encore s'exciter ! »

- « c'est vrai, parlons d'autre chose »

- « Dis-moi Assane, cette semaine, je ne pourrai pas venir aux répétitions pour le théâtre, dit Ndeye, j'ai un baptême à la maison, la deuxième épouse de mon père qui vient d'accoucher. »

- « Et tu ne nous invites même pas ? »

- « On ne fait pas grand-chose, mais vous pouvez venir le matin pour manger du lakh (bouillie de mil au lait caillé), c'est mercredi ! »

- « OK, on viendra ! Garde-nous beaucoup de lakh ! Nous sommes assez difficiles à rassasier ! »

- « Écoutez-le ce gourmand ! »

- « Dis-moi Ndeye, tu vas quand chercher ta robe chez Diaga ? On peut y aller ensemble ?! »

- « Je comptais y aller vers cinq heures. »

- « Tu passes me chercher ? »

- « OK ! »

- « Vous avez encore une robe neuve ? »

- « Bien sûr et à la dernière mode ! »

- « Moi, je trouve que les tailleurs à St-Louis sont beaucoup plus adroits que ce Diaga ! »

- « Écoute, Cathy, nous, on ne s'habille pas à St-Louis parce qu'on n'y habite pas ! On ne va pas prendre le train juste pour aller se coudre une robe ? Non ? Alors, on fait avec ce qu'on a ! »

- « Je ne t'ai pas dit d'aller t'habiller à St-Louis, je te dis que les tailleurs là-bas n'ont rien à voir avec ceux d'ici, c'est tout ! »

- « Oui, tant pis pour nous alors ! Puisque tu aimes autant St-Louis, pourquoi tu n'y restes pas pendant les vacances au lieu de venir nous dicter ce qui est bien soi-disant. »

- « Je viens en vacances chez ma mère si je veux ! Et toi, pourquoi tu viens m'emmerder ? »

- « Arrêtez de vous disputer, vous ! »

Édouard s'est mis presque à crier, excédé :

- « Vous ne pouvez pas parler gentiment sans vous quereller ! C'est quand même incroyable ça ! »

- « C'est toujours elle, qui commence ! »

- « Tais-toi, ça suffit ! »

Ils avaient beaucoup d'activités de jeunes dans leur ville, ils faisaient tous partie sauf Cathy de la troupe théâtrale qu'ils avaient eux-mêmes créée.

Ils organisaient avec beaucoup de succès des soirées de théâtre très appréciées des petits et des grands. Il y avait les baptêmes, les mariages, les bals des associations de jeunes, tout était prétexte à faire la fête !

Les matchs de football drainaient une foule impressionnante, endimanchée.

Dans les combats de lutte traditionnelle ou les courses de chevaux, la même foule se pressait compacte, chantant, dansant, tapant des mains, riant...

Tout cela faisait un ou deux événements majeurs par semaine.

CHAPITRE 2

Le moment qu'elle préférait, c'était le crépuscule !

Quelle heure paisible dans la lumière, dans l'atmosphère ! Quoi de plus paisible qu'un village d'Afrique au crépuscule ?

Bien qu'elle habitât une petite ville, son quartier fonctionnait comme un petit village avec une grande place, un marché, une fontaine (le puits dans d'autres lieux).

À cette heure-là, les animaux : chèvres, moutons et bœufs rentrent chez eux directement comme guidés par un radar et mollement suivi par Demba le berger Peul.

Pourtant cette heure n'a pas bonne réputation ; tout le monde se dépêche de rentrer bien à l'abri dans leur maison.

Les gens vaquent à leurs dernières occupations avant le coucher définitif du soleil, il ne doit plus traîner personne dans les rues.

Les cris des mères à leurs enfants retardés retentissent d'angoisse et d'agacement.

Dior allait être la dernière à puiser de l'eau à la fontaine et qui allait l'aider à mettre cette lourde bassine sur sa tête ?

Certaines filles étaient passées maîtresses en l'art de mettre cela toute seule... Mais elle, frêle comme elle était, en plus franchement elle n'était pas du tout experte en la matière, mais une parfaite dilettante...

Quand tout à coup elle aperçut Ndeye ! Elle la héla comme si sa vie en dépendait :

- « Ndeye, Ndeye, ma puce, ma préférée, viens vite te rendre utile, c'est Dieu qui t'envoie. »

- « Teu teu teu... tu es bien gentille ma jolie, tu as un problème ? » lui lança-t-elle avec désinvolture et ironie.

- « Je n'ai personne pour me mettre la bassine sur la tête, tu me sauves la vie ! »

- « Dis-moi, tu es bien en retard, Dior, le soir tombe et tu es encore là ?

- « Si tu avais vu la queue qu'il y avait ici cet après-midi ! Tu sais l'eau n'est revenue qu'à quatre heures et demie ! Je n'ai d'ailleurs pu obtenir que trois bassines, c'est largement insuffisant ! J'espère que demain cela ira mieux. Et toi, où étais-tu passée coquine ? »

- « Moi aujourd'hui j'étais allée voir Sata à Altièri, elle avait le paludisme, elle a failli y passer ! »

- « Ah bon !? Est-ce qu'elle va mieux maintenant ? »

- « Là ça va beaucoup mieux, elle a même un peu mangé tout à l'heure, sa mère est soulagée ! Bon il faut qu'on y aille ! Tu viens me voir après dîner ou tu préfères que je vienne ? »

- « Il vaut mieux que tu viennes, mon père en ce moment, je ne sais pas ce qu'il a, mais il est un chatouilleux ! Merci, je n'ai pas aspergé ton beau pagne ? »

- « Non ça va, à tout à l'heure alors ? Est-ce que nous verrons Édouard ce soir ? »

- « Ne m'en parle pas, nous sommes fâchés ! »

- « Fâchés, mon œil ! Vous vous foutez du monde avec vos soi-disant fâcheries. À d'autres... »

- « Je t'assure que c'est sérieux ! »

- « Bon, allons-y vite sinon on va se faire engueuler. Salut, à ce soir ! » et elle s'éloigna avec sa démarche fière pendant que Dior se concentrait sur le poids qu'elle avait sur la tête pour ne pas perdre l'équilibre.

Dans cette situation, il fallait avoir la tête et le cou bien droit, être cambrée et avancer en se dandinant le plus rapidement possible.

Elle n'avait après tout que la grande place à traverser pour être chez elle. Mais il valait mieux qu'elle dévie légèrement du côté du marché pour ne pas passer trop près de chez sa grand-mère de peur qu'Édouard ne l'aperçut.

Quand elle franchit la porte, sa mère accourut pour l'aider à enlever son fardeau et lui chuchota ensuite :

- « Ton père veut te parler après la prière de timiss, tu iras dans ma chambre dès qu'il aura fini. En attendant, va étendre la natte, et sort les coussins. »

- « Mon père veut me parler ? C'est pourquoi ? »

- « Attends et tu le sauras ! »

- « Oui, mais tu peux me dire de quoi il s'agit, non ? »

- « Non, tu attendras ! »

- « C'est grave ? »

- « Tu verras bien ! »

- « Je n'ai rien fait de mal ?! »

- « Ah mais tu me fatigues, Dior ! Bientôt ta curiosité sera satisfaite, pour l'heure, laisse-moi tranquille et fais ce que je te dis ! »

Bon, elle n'avait réussi qu'à l'agacer au lieu de lui tirer les vers du nez !

- « Pourvu qu'il ne soit rien arrivé de grave ! » se disait-elle, « Mon dieu, écoute-moi et préserve-moi s'il te plaît ! » Elle se disait toujours cela à la moindre angoisse.

Car son père n'était pas un rigolo et s'il voulait lui parler sérieusement, autant faire une prière avant, on ne sait jamais, cela pouvait servir !

Ça y est, maintenant elle avait le ventre noué. Vite qu'il parle et qu'on en finisse !

Elle n'était pas du tout patiente de nature et la curiosité pouvait l'angoisser à un point inimaginable. Pour maîtriser son impatience explosive, elle passa donc en revue tous les sujets possibles.

- « Mes sorties : ces temps-ci, j'ai plutôt fait des efforts, je ne crois pas que ce soit ça !

Édouard : je pense qu'il doit se douter que nos relations ne se limitent pas à nos liens de cousins germains, mais il ne peut rien prouver et puis on ne fait rien de mal après tout on s'aime.

Ma mésentente avec ma grande sœur Rama : ça n'est quand même pas nouveau et puis je fais de mon mieux avec elle.

Quelqu'un de l'extérieur s'est peut-être plaint de moi !? Je ne vois pas à qui j'ai pu faire du tort, ces derniers temps. Non vraiment je ne vois pas ! Bon, j'arrête de me tourmenter... Ce n'est pas évident !

En tout cas Édouard ne perd rien pour attendre, lui. Quel toupet, raccompagner cette fille, il croyait que je ne le saurais pas ! Quel dragueur ! Il va voir de quel bois je me chauffe. Cette fois, il peut toujours courir pour se réconcilier avec moi, il peut rameuter tous ses copains, il peut baratiner tant qu'il veut, je ne céderai pas ! Non, mais pour qui il se prend ! Il se croit tout permis ma parole ! Si je ne fais rien, bientôt il aura son harem sous mes yeux ébahis. Il ne va pas me traiter comme la plupart des garçons traitent leurs nanas idiotes et qui se laissent faire bêtement ! Si toutes les filles réagissaient comme moi, les femmes n'en seraient pas là aujourd'hui ! Pour moi pas question de partager, qu'il se le tienne pour dit une fois pour toutes. Quand on sera mariés, il ne sera pas question de soirées entre hommes, ou je ne sais quelles autres inepties du même genre. Son pied, mon pied... »

- « Dior ! »

C'était la voix de ma mère, mon Dieu, c'est le moment...

Elle alla dans sa chambre, elle était assise par terre sur le tapis et son père était assis sur le lit, une lampe à pétrole diffusait une lumière parcimonieuse favorable aux petites réunions de ce genre.

Elle s'assit en tailleur par terre après avoir salué son père et attendit.

Il commença :

- « Dior, je voulais t'annoncer une grande nouvelle. Demain, nous allons recevoir parmi nous un de nos parents qui habite dans l'arrière-pays. Ce parent est plein de qualités et j'espère que tout le monde dans cette maison va lui réserver un bon accueil. Particulièrement toi, car maintenant tu es devenue une adulte et ta mère et moi, nous espérons beaucoup de ta part et à vrai dire tu ne nous as jamais déçus. De tous nos enfants, tu as toujours été de loin celle qui nous a causé le moins de soucis. Nous espérons que cela va continuer et nous te demandons donc d'accepter pour époux ton cousin Moussa qui vient demain pour nous demander ta main. Il est riche et saura bien s'occuper de toi et de nous par conséquent ! »

Sa tête bourdonnait et elle était paralysée !

Plus possible de parler, de bouger, de protester...

Anéantie ! Qu'est ce que c'était que cette histoire ? C'est un cauchemar ou quoi ?

Elle avait dix-sept ans, elle était heureuse, elle avait un garçon qu'elle aimait et qui l'aimait, elle allait à tous les bals avec lui et tous les copains de leur âge, elle était belle, élégante, gentille, drôle, pleine d'espérance dans la vie, insouciante et tout d'un coup on lui annonce une catastrophe digne de la fin du monde telle qu'elle se l'imagine.

Elle, mariée à un inconnu qu'on dit riche (cela lui fait une belle jambe !) et qui débarque dès le lendemain dans sa vie. Encore heureux qu'il daigne se présenter sinon elle suppose qu'on l'aurait livrée !

Elle faisait tout pour se dégager de sa torpeur, il fallait absolument qu'elle se secoue et se réveille de ce cauchemar.

Elle ne distinguait plus très bien les dernières paroles de son père comme si elle était dans un nuage qui s'éloignait de plus en plus...

Sa pensée s'envolait vers Édouard, son aimé. Car il ne fallait pas l'oublier dans cette affaire, il avait aussi son mot à dire ! Et comment allait-il le prendre ? Hein ? Ah mon Dieu quelle folie !

- « Je refuse de me marier avec un inconnu que je n'ai pas choisi ! » Sa voix était sortie tout d'un coup de son engourdissement pour lui porter secours.

Son père se raidit et sa mère prit une mine apeurée

- « Quoi ? Tu oses me désobéir, de plus ce n'est pas un inconnu, c'est ton cousin lointain d'accord, mais ton cousin quand même. Tu ne vas pas nous faire cet affront ! D'ailleurs, nous t'avons promise à lui depuis fort longtemps. Tu ne peux pas refuser et je ne te le permettrai pas. »

- « Quel âge a-t-il ? »

- « Que t'importe son âge ? Tu es d'une impertinence toi ! Il a trente-cinq ans environ si cela peut te satisfaire. »

- « Justement, cela ne me satisfait pas du tout, il pourrait être mon père, je veux me marier avec quelqu'un de mon âge ! »

- « Ce vaurien d'Édouard par exemple persifla-t-il ironique, tu crois que je n'ai pas remarqué vos manèges ! »

« On s'aime et lui, je le connais depuis toujours et comme cousin on ne fait pas mieux. »

« Il est tout à fait incapable de fonder une famille. Il ne pense qu'à jouer au dandy, à se saper comme vous dites, à danser avec sa bande de paresseux. Jamais, j'accepterai de te donner à lui, donc, la question ne se pose pas ! Tu ferais mieux d'être une fille obéissante comme toutes les filles respectables. Nous t'avons trouvé un bon mari comme en voudraient beaucoup de filles de ton âge, tu devrais nous en être reconnaissante ! Tu verras que tu te feras très vite à cette idée. Dis-lui toi Ami. » Termina-t-il en se tournant vers la mère qui gardait les yeux baissés sur le sol avec un air d'accablement total.

Elle recroisa les jambes sous elle et jouant avec les franges du tapis, les yeux toujours baissés, elle dit :

- « Tu sais Dior que l'on t'aime plus que tout, ton père et moi nous ne voulons que ton bien ! Là il s'agit de ta vie, de ton bonheur... Nous avons plus d'expérience dans la vie que toi donc on sait mieux que toi ce qu'il te faut pour être heureuse. Tu nous remercieras sûrement plus tard. Pour l'instant, tu sais bien que tu n'as pas d'avenir avec Édouard, ni aucun de ces garçons que l'on voit tourner autour de vous. Ils ne sont même pas capables de gagner leur vie, à plus forte raison la tienne. Qu'est-ce que tu espères ? Et puis la vie n'est pas un éternel amusement. On t'a laissé t'amuser tout ce que tu as voulu, mais maintenant, il est temps de penser à ton avenir. Nous te demandons de nous écouter, nous tes parents, car sinon qui écouteras tu dans ta vie si tu ne nous écoutes pas ?

Moi ta mère qui t'aime très fort, je te demande de faire un effort même si c'est dur et je te garantis que tu ne le regretteras pas. Depuis le jour où je t'ai mise au monde, tu ne m'as jamais fait de mal, tu ne m'as jamais fait pleurer, au contraire, je n'ai que des louanges à t'adresser, tu m'as beaucoup aidée et soutenue en toutes circonstances malgré ta jeunesse. Je te demande de continuer à être la bonne fille que tu as toujours été et d'essayer de faire abstraction de tes désirs immédiats et je te jure que tu en seras récompensée par Dieu ! »

- « J'ai entendu tes paroles, mère, mais je ne peux pas accepter de me marier avec un homme que je n'aime pas ! On a dépassé ce temps-là. Je n'aurai jamais pensé que je me trouverais un jour dans une situation pareille. Je vous croyais évolués et là je découvre que non. Je suis désolée de vous peiner, mais j'aime Édouard et c'est le seul que je compte épouser un jour. Car il est jeune, mais il sera capable de travailler et de nourrir sa famille bientôt, d'ailleurs il a commencé à travailler pas plus tard qu'hier et vous le savez ! Il faut bien qu'il débute ! Qu'est ce que vous avez contre lui ? »

- « Il n'est pas musulman ! »

- « Ça, c'est ta sœur qui a commencé ! Pourquoi a-t-elle épousé un catholique si c'était si grave ? Hein, pourquoi ? Et pourquoi, elle a eu le droit d'épouser un étranger catholique de surcroît et moi, je n'aurai pas le droit d'épouser mon propre cousin catholique ?! Pourquoi ? »

Son père s'est levé pour couper court :

- « Demain, je ne veux pas te voir sortir de cette maison, ni y recevoir qui que ce soit. Et demain, je veux te voir recevoir et te consacrer à notre invité et je te préviens, je ne tolérerai aucun écart de conduite. Si tu n'obéis pas, je te tuerai tout bonnement, j'en ai le droit, je suis ton père. Te voilà prévenue ! Toi aussi ! » ponctua-t-il en pointant son doigt sur la mère qui protesta :

- « Mais Alassane, moi je n'y suis pour rien ! »

- « Je ne veux pas le savoir, c'est ta fille. »

Sur ce, il sortit de la chambre et Dior sortit sur ses talons pour éviter de continuer la discussion avec sa mère.

Bon, on se calme, on réfléchit, surtout pas de panique !

Il faut trouver un moyen de prévenir Édouard et puis elle en parlera avec Ndeye surtout quand elle viendra ce soir, calmement, elles trouveront bien une solution ensemble !

Elle respira à fond comme avant une grande bataille, tout d'un coup sûre d'elle : ce mariage n'aura pas lieu ou en tout cas sans elle, voilà tout ! C'est simple !

CHAPITRE 3

Ndeye écouta son histoire avec des yeux ronds, une expression de terreur telle, qu'une peur atroce commença à gagner Dior !

Elle se dit qu'elle était peut-être trop optimiste et sûre d'elle dans cette affaire, qu'il fallait revoir tout cela à la baisse. Le fait de se battre n'y suffirait certainement pas et elle lisait dans les yeux de Ndeye la véritable mesure du danger et des menaces qui pesaient sur sa jeune et heureuse vie.

Mais elle n'était qu'arrogance comme quelqu'un qui n'avait jamais souffert jusque-là et à qui la vie avait largement souri !

Mon Dieu se dit-elle, venez à mon secours !

Quand elle finit de lui raconter la discussion avec ses parents, Ndeye lui prit les mains avec des gémissements de tristesse et dit :

- « Dior, sois forte devant cette épreuve somme toute banale, car c'est le sort de toutes les femmes de ce pays. Une femme doit se marier avec un homme que choisit son père ou sa famille. C'est notre lot à toutes tant que nous sommes. Moi, par exemple, je vis un sursis, mais je sais que cela ne va pas tarder, d'ici un an tout au plus, je devrais en passer par là. Je suis de tout cœur avec toi, mais je pense que tu n'as pas assez de pouvoir pour t'opposer à cela, car c'est le système sur lequel repose toute notre société. J'ai bien peur que tu ne représentes rien à côté des enjeux ! »

- « Tu ne veux quand même pas dire que je dois accepter sans rien dire !? Ce n'est pas ce que tu me conseilles n'est-ce pas ? »

- « Je ne te conseille rien, je veux juste te dire que je partage tes souffrances présentes qui sont les miennes à venir. Pardonne-moi, je suis un peu fataliste alors que toi, tu es révoltée. On va réfléchir calmement à ce qu'il faut faire ! Surtout pas de réactions impulsives ! »

Dior déclama d'un air buté : « De toutes les façons, il n'y aura pas de mariage, autant mourir ! Jamais je ne me laisserai toucher par cet individu »

- « Que veux-tu faire ? »

- « Il faut peut-être que je demande de l'aide à quelqu'un pour faire entendre raison à mon père. »

Ndeye secoua la tête d'un air atterré.

- « Mais, ma pauvre fille, jamais personne ne te donnera raison contre ton père ! J'ai l'impression que tu ne te rends vraiment pas compte de ce qui se passe ! Au contraire tout le monde va te dire combien tu as de la chance et combien ton père est sage ! »

- « Alors je vais m'enfuir s'il n'y a que ça à faire ! »

Elle la prit par les épaules et la secoua comme un manguier :

- « Arrête de dire des bêtises, tu es vraiment folle ! »

Dior se mit à crier : « Mais qu'est ce que je dois faire alors ? »

- « Tu devrais en parler à Édouard, avant toute chose. »

- « J'ai peur ! Et s'il me dit de me marier parce que lui n'a pas les moyens de fonder une famille ? Hein ? S'il me dit ça, je crois que je me tuerai ! Je ne vais quand même pas le supplier de se marier avec moi ! »

- « Calme-toi, je persiste à croire que tu devrais lui en parler et mettre ton orgueil de côté. »

Vous vous aimez et vous trouverez bien une solution. »

Dior pensa à la honte pour elle, si orgueilleuse, d'une pareille conversation avec Édouard.

Comment lui présenter la chose sans qu'il pense qu'elle veut le forcer à demander sa main ?

Comment lui dire sans pleurnicherie, sans montrer sa douleur ?

Ce soir-là, elles restèrent ensemble des heures dans le fond de la cour à regarder la nuit noire se répandre autour d'elles, à se consoler mutuellement de leur malchance d'être nées femmes et supposées soumises, à décrire leur société avec force illustrations et exemples de ce même genre de situations, connus ou rapportés.

Apparemment, c'était d'une telle banalité et Dior ne s'était aperçue de rien jusqu'à maintenant, distraite par son insouciance...

Elles ressentaient une peur de cet avenir proche, qui n'avait soudain plus rien à voir avec ce passé si présent encore !

Comment pouvait-il se faire que des adolescentes si heureuses cet après-midi seulement, puissent se trouver enveloppées dans de telles ténèbres ?

Comment se pouvait-il qu'une société si rieuse, si tolérante en apparence puisse engendrer de tels malheurs dans des cœurs aussi innocents ?

Elles se posèrent d'innombrables questions de ce genre ce soir-là et elles pleurèrent tout ce qu'elles pouvaient de larmes et d'amertume.

Elles se jurèrent une amitié sans faille pour endurer cette vie sans amour et sans joie dont elles savaient maintenant qu'elle les attendait.

Après délibérations, Ndeye fut chargée de passer voir Édouard pour le prévenir de ce qui attendait Dior le lendemain.

Elles convinrent qu'elle ne ferait rien ce jour-là et qu'elle devait attendre la suite des événements, tout en refusant calmement et fermement ce mariage. Il n'y avait pour l'instant rien d'autre à faire.

Attendre et voir. Voir et refuser. Refuser et attendre.

Le lendemain matin, la maison se trouva prise dans une sorte de frénésie des grands jours ! Les bonnes avaient pour ordre de faire un grand ménage.

La mère se leva de bonne heure pour aller elle-même au marché, les sœurs s'occupaient de changer les draps et les rideaux de toutes les pièces. Tout se passait comme pour la fête du mouton ou celle du ramadan. Dior avait la désagréable impression d'être le mouton du sacrifice.

Il n'y a qu'à elle qu'aucun ordre n'était donné, aucune instruction. Elle était comme en dehors de la fête, exclue des préparatifs.

Elle se lava et s'habilla d'un boubou dont elle savait qu'il ne lui allait pas bien, ne fit aucun effort pour paraître belle, elle, d'habitude si coquette, mais ne fit rien non plus pour s'enlaidir.

Ensuite elle alla s'asseoir sagement sur une natte dans sa chambre fraîchement balayée qu'elle partageait avec sa jeune sœur Sally.

Celle-ci lui chuchota : « Il parait que tu vas te marier ? C'est Rama qui me l'a dit ! Est-ce que c'est vrai ? »

- « Ce n'est pas vrai, je ne veux pas me marier. Et puis cela ne te regarde pas, tu es trop jeune pour t'occuper de ça ! Alors, tais-toi ! »

- « Je ne suis pas trop jeune, tu ne veux jamais rien me dire, j'ai maintenant douze ans ! Tu n'es pas gentille ! Est ce que tu vas aller vivre chez ton mari ? »

- « Je te répète que je ne me marie pas ! Laisse-moi tranquille ! »

- « Tant pis, c'est ton affaire ! » Sally haussa les épaules, boudeuse, et sortit.

Il n'était que dix heures du matin et Dior se demandait quand est-ce qu'il allait arriver, certainement pour le repas de midi.

Édouard devait être au courant maintenant. Comment avait-il réagi ? Souffrait-il ? Elle aurait aimé le voir, lui parler ! Mais c'était impossible, interdit.

Aujourd'hui, il valait mieux ne pas faire de scandale et obéir à son père, bien se comporter, de façon responsable, mais ferme.

Car comment la prendrait-on au sérieux si elle faisait des caprices de petite fille et si elle affichait une insolence inconsidérée et une désobéissance trop flagrante.

C'est pourquoi, elle avait bien recommandé à Ndeye de dire à Édouard de ne surtout pas se montrer chez elle aujourd'hui quel qu'en soit le motif.

Une fois le prétendu fiancé reparti, ils auraient tout le loisir de tenir conseil et de décider de ce qu'il fallait faire. Car il y avait d'abord le jour de la demande en mariage, ensuite la réponse donnée un autre jour et ensuite la date de mariage était retenue. Donc pas d'affolement, elle avait le temps... Le temps de quoi faire ? Elle ne le savait pas...

Quand elle fut devant lui, elle aurait voulu que la terre se dérobât sous ses pieds et que tout cela fût effacé et qu'on recommençât tout à zéro.

Mon Dieu, se disait-elle, si je pouvais m'abstenir de jouer ce rôle qui était le mien, ce mauvais rôle, si je pouvais me porter malade et me faire remplacer par une quelconque doublure comme au théâtre.

De son point de vue à elle, il était laid, vieux avec des yeux fuyants de caméléon traqué !

De toute manière, elle préférait ça, car elle savait maintenant que le dégoût la fera fuir ou mourir.

Jamais elle ne pourrait supporter ou même envisager sa peau sur la sienne sans hurler à la mort.

Un frisson la parcourut quand il lui serra la main en souriant de ses dents tachées de noix de kola, prenant un air avenant.

La famille l'entraîna aussitôt dans le salon avec à sa suite deux autres hommes plus vieux et plus imposants, des oncles à lui sans doute.

La mère leur servit à boire et à manger ensuite ils prirent le thé.

À Dior, personne ne demandait toujours rien.

Elle bouillonnait dans son coin en attendant qu'on la fasse participer à quoique ce fut.

Elle ne sut rien de leurs discussions et son père se garda bien de la faire comparaître par peur qu'elle ne soit pas à la hauteur pensa-t-elle.

À la fin de la journée au moment de leur départ, on l'appela pour qu'elle dise au revoir à ces messieurs et ce fut tout.

Comment savoir ce qui s'était réellement passé ? Ses parents avaient-ils donné une réponse positive à sa demande ?

Sûrement !

Ils lui avaient bien dit que ce projet leur plaisait, donc pas d'espoir de ce côté-là ! Elle avait bien vu leurs mines réjouies pendant toute la journée et particulièrement à la fin de la visite.

Ils avaient dû obtenir un bon prix, de beaux cadeaux...

Quelles belles promesses leur avait donc faites ce broussard riche et pas « civilisé » pour un sou.

D'ailleurs, il devait déjà avoir une femme ou deux, et peut-être une dizaine d'enfants...

N'y tenant plus, Dior alla d'un pas décidé vers le salon où se trouvait son père.

Elle enleva ses chaussures sur le seuil et avança respectueusement vers lui les yeux baissés

- « Père, j'aimerais te parler si cela ne te dérange pas. »

- « Vas-y parle »

- « Père, je ne pourrai jamais me marier avec cet homme que j'ai vu là aujourd'hui ! Je préfère mourir ! Je te supplie de ne pas accepter ce mariage ! »

Son père leva vers elle un visage sévère et articula d'une voix pleine de colère contenue :

- « Je ne te permets pas de discuter mes décisions. Une femme digne de ce nom doit obéir à son père en tout. Que je ne te reprenne plus à me parler sans que je t'aie interrogée ou à soutenir mon regard de cette manière effrontée. Tu as compris ?

Jamais plus ! Va dans ta chambre et ne sors pas de la maison sans ma permission. Le mariage est conclu et personne dans ma maison tant que je serai vivant ne reviendra là-dessus ! Allez, hors de ma vue avant je ne te corrige comme tu le mérites ».

Elle sortit la tête basse dans un état de désespérance inouïe.

Elle sentit fondre ses muscles, son ventre se nouer, ses jambes flageoler, sa tête bourdonner... Elle eut la force d'avancer jusqu'à son lit et de s'y écrouler face contre l'oreiller. Les sanglots jaillirent d'une façon saccadée et lui secouèrent tout le corps. « Mon dieu, quel cauchemar ! »

« Non, ce n'est qu'un mauvais rêve ! Je vais dormir, puis me réveiller, et il n'y paraîtra plus... » Donc elle sombra dans le sommeil...

Une voix fluette l'appelait : « Dior, Dior, réveille toi ! »

Elle grogna et voulut se rendormir.

- « Dior, Dior, j'ai un message pour toi, c'est Édouard qui me l'a donné. »

Là elle se dressa sur son seyant et le cauchemar remonta instantanément à la surface.

- « Qu'est-ce qu'il a dit ? »

Sa soeur lui glissa une feuille de papier pliée en quatre dans la main.

« Quand tout le monde sera couché ce soir, je viendrais derrière la palissade près du grand arbre pour te voir. Édouard ».

Elle marmonna « Merci » machinalement et essaya de reprendre le cours de son sommeil et son malheur...

CHAPITRE 4

Le moment venu, elle se rua dans les bras d'Édouard en gémissant « j'aimerai mieux mourir ».

- « Arrête de dire ça, lui dit-il en l'embrassant. On va trouver une solution. D'abord, tu vas tout me raconter depuis le début. Ensuite nous réfléchirons. D'accord ? Allez, vas-y raconte !

Elle lui fit un récit fidèle entrecoupé de sanglots et lui décrivit le cousin et futur mari en exagérant sa laideur et sa répugnance.

Il se mit à rire en disant : « Dior chérie, tu n'es pas obligée d'exagérer comme ça, voyons ! »

- « Cela se voit que ce n'est pas toi qui l'épouses » rétorqua-t-elle dépitée, il est tout bonnement affreux, je n'en voudrai même pas comme boy chez moi ».

- « Bon OK, il est affreux ! De toute façon, même s'il n'était pas affreux, tu ne voudrais pas l'épouser, n'est-ce pas ? »

- « Oui, même s'il était beau, je ne l'aimerais pas, je n'aime que toi ! »

- « Je t'aime moi aussi, mais tu sais que je n'ai pas de situation et ton père ne voudra jamais qu'on se marie ! »

- « Il faudra bien pourtant qu'il admette notre amour ! »

- « Il n'y a qu'un seul moyen de les faire céder, mais je ne sais pas si c'est un bon moyen ! Je n'aimerai pas qu'on en arrive là. »

- « Quel moyen ? Dis-le-moi ! Il faut tout examiner. »

- « Tu ne vas pas te fâcher si je te le dis ? »

- « Mais non, je ne vais pas me fâcher, je suis prête à tout pour rester avec toi » assura-t-elle en se serrant contre lui.

- « Si jamais tu n'es pas vierge le jour de ton mariage, le vieux con ne voudra pas de toi et ton père devra rendre la dot. Mais tu seras déshonorée et toute ta famille t'en voudra de ce déshonneur ! »

- « Je crois qu'il vaut mieux qu'on s'enfuie, je ne veux pas qu'il me touche ! Jamais ! »

- « Si on s'enfuit, on ira où ? Ne dis pas de bêtises, ce n'est pas une solution crois-moi ! »

- « Oui, mais ta solution n'est pas valable, s'il faut que je subisse ce type jusqu'à ce qu'il s'aperçoive que je ne suis pas vierge. Je ne pourrai pas supporter tout ça : le mariage, la cérémonie nuptiale, tout... Il n'en est pas question ! » Et elle fondit en larmes.

- « Bon ne pleure pas ma chérie, n'en parlons plus ! Il faut peut-être que tu sois enceinte de moi, mais dans ce cas on n'a plus beaucoup de temps !

Est-ce que tu connais la date prévue du mariage ? »

- « Non, je ne sais pas, mais cela me convient mieux comme solution. Par contre il faudra qu'on fasse ça bien, qu'on conserve le drap taché pour prouver après coup ma virginité sinon le déshonneur sera trop horrible pour ma pauvre mère, c'est elle qui sera indexée par tous… Et même si je ne suis pas enceinte, on pourra dire que je le suis, tu crois qu'ils vérifieront ? »

- « Tu as raison, ils ne vérifieront pas. Mais comment organiser tout ça ? Il nous faudra des complicités ! Il faudra que tu fasses mine de revenir à de bonnes dispositions à l'égard de ton mariage, comme cela, on pourra tromper leur vigilance et on pourra se retrouver chez un de nos amis et après les mettre devant le fait accompli. Ils n'auront pas d'autre solution que de nous laisser nous marier ! Ça va comme plan ? Hein Dior, il faut que ce soit vraiment ce que tu veux au fond de toi ! »

- « Si je ne me marie pas avec toi, je ne me marierai jamais, autant mourir tout de suite ! »

- « Qui te parle de mourir. On va se marier, je te le promets. Maintenant il faut être malin et le tour est joué ! Je t'adore... »

Et les baisers pleuvaient sur elle comme autant de baumes sur ses plaies encore saignantes, mais déjà en voie de guérison. Ils s'accrochèrent l'un à l'autre comme des naufragés.

Dieu, quel bonheur d'être dans les bras l'un de l'autre ! Ils étaient éperdus d'amour, s'embrassaient comme des fous, se serrant à se broyer.

Avec un sursaut, Édouard la lâcha en disant « Maintenant, écoute bien, sois docile et exemplaire à partir d'aujourd'hui. Laisse entendre que tu es finalement contente de te marier, sois gentille avec ta mère, respectueuse avec ton père. Il faut donner le change, on ne se verra pas les deux prochains jours, pas avant que tu sois crédible, pas avant de les avoir complètement rassurés sur tes intentions. On essaiera de se voir le soir à l'abri de cette palissade comme ce soir, de façon très prudente. Sally ne t'a pas vu partir ce soir ? Il faut toujours attendre qu'elle dorme bien. »

- « Elle ne dira rien ! »

- « Il faut se méfier, je t'attendrai là des heures s'il le faut, mais attends qu'elle dorme ! Pendant ce temps, je ferai la tournée des amis pour voir où est ce qu'on pourra se voir tranquillement, s'il le faut une journée entière ou au pire toute une après-midi. Il faudra un bon prétexte comme un baptême concernant une lointaine copine habitant à l'autre bout de la ville. Je te dirai le jour dès que je pourrai. Prépare-toi psychologiquement, ça risque de te faire un peu mal, ma chérie ! »

- « Je pense que ça ne me fera pas mal puisque je t'aime, je ne m'en rendrai même pas compte. Je suis sure que je serai la plus heureuse des femmes. »

- « Dior chérie, pourvu que tout cela marche ! »

- « Ça marchera ! Tout à l'heure j'étais désespérée, ces deux derniers jours, n'en parlons pas, j'étais dans une angoisse indescriptible. Je suis confiante maintenant parce ce que je t'ai vu, parlé, senti. Je pourrai sans nul doute soulever une montagne. Je t'aime Édouard. »

- « Moi aussi, j'étais dans tous mes états quand Ndeye m'a dit cela, j'ai failli aller voir ma mère, ma grand-mère pour qu'elles défendent notre cause, j'ai même failli aller voir directement ton père pour lui expliquer. Mais heureusement, je me suis retenu, car je crois que cela n'aurait fait qu'aggraver les choses ! Personne ne nous aurait écouté, la seule solution, c'est celle qu'on a choisie, il n'y a pas d'autre choix possible ».

Il la serra une dernière fois contre son cœur, la relâcha et partit à grandes enjambées. Elle resta là un moment engourdie de tendresse à regarder sa silhouette dégingandée se perdre dans le noir. Elle retrouva toute la foi qu'elle avait toujours eue dans la vie et elle sut que rien ne pourrait plus jamais lui arriver tant qu'Édouard était à ses côtés. Elle se sentait forte, invincible !

Ils étaient les plus forts !

Tout se passa comme prévu...

Dior était abasourdie par ses talents insoupçonnés de comédienne.

Elle fit voir à tout la famille, combien elle avait recouvré la raison, allant jusqu'à vanter sa nouvelle situation de fiancée, parlant de sa future vie avec son mari comme d'un privilège, ponctuant certaines conversations avec ses sœurs de « quand je serai installée chez Moussa... » par-ci, « Le jour de mon mariage... » par-là…

Ses parents n'osaient pas croire au miracle, mais force leur fut de constater le retournement total de la situation et en plus, Édouard ne venant plus traîner chez eux, autour d'elle, ils se dirent vite qu'elle avait dû comprendre où était son bonheur, intelligente comme elle était !

Tu parles... Le soir, elle passait une demi-heure à flirter avec Édouard derrière la palissade et cela lui redonnait du courage.

Il avait trouvé un ami pour lui prêter sa chambre qui était assez isolée dans la concession de ses parents, il ne restait plus qu'à fixer un jour et à consolider un mensonge avec la complicité de Ndeye.

Cette dernière était pas mal surexcitée par ce plan qu'ils avaient mis sur pied.

- « C'est du jamais vu sifflait-elle admirative, quel courage, quelle ingéniosité ! Tu te rends compte de la chance que tu as d'avoir un garçon comme Édouard, qui t'aime au point d'exécuter un plan aussi machiavélique ! Ouah ils savent pas à qui ils ont affaire tes parents, ils ont trouvé à qui parler.

J'aimerais bien voir leur tête ! »

- « Chut, quelqu'un risque de t'entendre ! Il faut être prudent ! »

- « Non, mais tu te rends compte si toutes les femmes avaient ce genre d'appui, plus personne ne se marierait contre son gré. Malheureusement, ce n'est pas le cas. Des garçons comme Édouard, ça ne se trouve pas à tous les coins de rue. Toi, tu vas éviter le déshonneur, puisque vous allez leur montrer le drap exigé. Je t'envie beaucoup ! Je sens que je n'aurai pas autant de chance que toi. »

- « Arrête de dire n'importe quoi ! Et puis ce n'est pas encore fait. J'ai très peur, car si jamais ils s'en doutent avant, on est foutu ! C'est pour ça qu'il faut être très prudent, croisons les doigts, ce n'est pas du tout gagné » dit Dior pour ramener Ndeye à une évaluation plus juste de la situation.

Juste à ce moment-là, sa sœur, Sally fit irruption dans la chambre poursuivie par Rama qui voulait la punir d'on ne sait quelle incorrection à son égard.

- « Saleté de gosse, mal élevée, je vais t'apprendre à me parler comme ça ! » et elle pointa un balai, mais Sally sauta derrière Ndeye pour se mettre hors de portée.

- « Dis donc, Rama, qu'est ce qu'elle t'a fait ? » questionna Dior le plus calmement possible.

- « Elle m'a insultée »

Dior se tourna vers Sally toujours camouflée derrière Ndeye « pourquoi, tu l'as insultée ? »

- « Parce qu'elle a dit du mal de toi »

- « Et rapporteuse avec ça ! » siffla Rama entre ses dents en essayant toujours de l'attraper.

- « Attends là, qu'est-ce que tu as dit de moi ? » persifla Dior en lui saisissant un bras.

- « Lâche-moi ! »

Et Sally cria : « elle a dit que tu étais tout à fait incapable d'être une femme mariée, tu étais trop tête de linotte et avec ça, tu ne sais même pas faire la cuisine, que ton mari te renverra ici au bout d'une semaine au plus. Voilà ce qu'elle a dit ! »

Dior se tourna méchamment vers Rama : « tu sais toi, cette semaine-là d'essai, tu ne trouveras jamais personne pour te l'accorder, car personne ne voudra jamais de toi ! La preuve je suis ta cadette d'un an et je me marie avant toi ! Quelle honte ! »

Rama lui sauta dessus comme une furie et pendant qu'elles se battaient comme des chiffonnières, Sally qui prenait toujours le parti de Dior contre Rama vint lui donner des coups de pieds par derrière.

Ndeye essaya de s'interposer en vain.

Bientôt leur mère arriva attirée par tout le raffut, suivie de deux bonnes.

- « Arrêtez, arrêtez de vous battre ! Quelles sauvages ! Vous n'avez pas honte de vous battre à votre âge, des grandes filles comme vous ! » hurlait-elle en tirant de toutes ses forces sur Dior pour la faire lâcher prise, pendant que les autres faisaient de même pour maîtriser Rama et Sally.

Rama se mit à gueuler : « j'en ai marre, je suis la plus grande ici, et ces deux mal élevées ne font que m'insulter à longueur de journée. Je veux être respectée comme il se doit. Je vais le dire à mon père quand il rentrera ! »

- « Tu n'as qu'à lui dire. Si tu étais quelqu'un de respectable, pas de doute qu'on te respecterait. Tu as une méchante langue de vipère et tu récoltes ce que tu sèmes ».

- « Cela suffit maintenant ! ordonna la mère, qu'est ce qui s'est passé ? À toi Rama »

- « Rama a dit des méchancetés... » commença Sally

- « Je ne t'ai rien demandé à toi, Rama qu'est-ce qui s'est passé ? »

- « J'étais en train de bavarder avec la petite Ami et Sally s'en est mêlée et m'a insultée sans savoir de quoi on parlait au juste ».

- « Ce n'est pas vrai, elle a dit des méchancetés sur Dior ! »

- « Qu'est ce qu'elle a dit de méchant ? »

Elle répéta comme si elle avait appris ça par cœur et en défiant Rama d'un regard effronté.

- « Je ne l'ai pas dit comme ça ! » se défendit Rama mollement.

- « c'est vrai que c'est méchant, pourquoi tu dis des choses pareilles ? »

- « Je plaisantais un peu ».

- « Même pour plaisanter, c'est méchant ! Bon retourne à ta cuisine, allez ouste ! Et toi Sally, va chez ta tante Salimata lui demander de me prêter un mortier pour que l'on pile de l'arachide aujourd'hui ! Vas-y ! Toi Dior, je compte sur toi pour nettoyer la cour et le salon pendant que Ami-

Collé et Fatou vont puiser de l'eau. Que je ne vous entende plus vous disputer ou vous battre. C'est très énervant. Vous avez compris ? »

Et tout le monde se dispersa. Dior se réajusta et dis à Ndeye : « Rama est une sorcière, je me demande ce que j'ai fait au bon Dieu pour mériter une sœur pareille ! »

- « Ouf, laisse tomber ! Il ne faut pas la prendre au sérieux ! Il faut essayer de l'ignorer et elle te foutra la paix ! »

- « Tu parles, j'ai tout essayé. Elle ne veut pas me lâcher, je crois qu'elle est très jalouse et je me demande bien de quoi ?! »

- « Les gens jaloux me font pitié, car ils sont malheureux au fond »

- « Bon, revenons à nos moutons... Donc normalement, cela devra se passer chez Seyni, tu sais comme sa chambre est loin des autres pièces de leur maison. Au moins à 30 mètres, alors il faudra que vous buviez le thé juste devant la chambre en parlant fort afin de couvrir des bruits éventuels. J'espère que je ne serai pas obligée de crier ! Tu seras là ? On a choisi vendredi, on sera tranquille, car les hommes vont à la mosquée, ce sera mieux. »

- « J'essayerai, de toute manière, il faut que je vienne ! Et le prétexte c'est quoi ? »

- « On n'a qu'à dire qu'une de tes cousines a accouché avant hier et donc que c'est le baptême vendredi. Il faut qu'en partant tu l'annonces à ma mère en disant que tu veux que j'aille passer la journée là-bas avec toi. Quant à Édouard, il ne demande pas la permission puisque c'est un garçon. »

- « Bon, OK. J'espère qu'elle me croira ! Et si elle le demande à ma mère ? »

- « Tu as raison, dis plutôt que c'est une grande amie à toi que je connais aussi, sans préciser ! C'est plus sûr ».

- « D'accord »

Elles mirent encore quelques détails au point et elle sortit en passant devant le grand arbre au seuil de la maison, en dessous duquel la mère de Dior faisait sa sieste tous les jours allongée sur une natte.

Et Dior l'entendit discuter avec celle-ci...

Il fallait qu'elle trouve un beau drap blanc pour le jour dit, donc elle alla fouiller la grande armoire à linge profitant du calme de la maison à cette heure.

Quand elle l'eut choisi, elle le rangea de manière à ce qu'il soit plus accessible et ensuite elle se mit à faire le ménage.

CHAPITRE 5

Ce jour-là, Dior se réveilla dans un état d'excitation et de fébrilité tel qu'elle eut peur que sa famille s'en aperçut et que tout fut compromis.

Donc, elle s'efforça de faire tous ses gestes quotidiens dans un calme qui n'était qu'apparent ; elle fit une toilette longue et appliquée, prit un petit déjeuner frugal, car elle ne pouvait rien avaler, fit un peu le ménage et attendit que Ndeye vienne la chercher.

Comme elle tardait un peu, elle commença à s'énerver et à se dire « et si elle ne venait pas ?

Comment je vais faire ? Tant pis je dirai que c'est moi qui dois passer la prendre chez elle.

Si elle n'arrive pas dans dix minutes, je pars à sa rencontre ! Mais qu'est ce qu'elle fout ? »

À ce moment précis, elle l'entendit faire les salutations d'usage et poussa un énorme ouf de soulagement.

- « J'ai cru que tu ne pouvais plus venir ! Tu m'as fait peur ! »

- « Calme-toi, il a fallu que je fasse une partie de la cuisine de midi avant de pouvoir partir. J'ai fait aussi vite que j'ai pu. Allons-y ! »

Elles passèrent devant toute la maisonnée qui souhaita une bonne journée et un bon baptême, et sa mère lui recommanda de rentrer avant six heures, car son père ne serait pas content si elle rentrait après la prière de timiss.

- « Oui, maman, je rentrerai vers cinq heures et demie dernier délai, ne t'inquiète pas ! »

Si elle savait ce qui se tramait ce jour, pour sûr qu'elle s'inquiéterait, mais Dieu merci personne ne se doutait de rien.

Dior serra contre elle le drap enveloppé dans un papier journal et sortit, Ndeye sur ses talons.

- « Il faut qu'on passe dernière le marché, je ne veux pas que ma tante Salimata me voie, ni Cathy ou ma grand-mère. D'ailleurs, mon père doit certainement trôner devant sa boutique, et s'il lui vient l'idée de ne plus me laisser y aller, je suis foutue. Viens dépêchons-nous ! »

Tout se passa comme sur des roulettes.

Seyni avait dit à sa mère qu'il faisait une réunion avec quelques amis de son club de théâtre.

Édouard lui avait donné de l'argent pour que sa mère leur fasse à manger pour midi. Ils étaient six en tout, toujours les mêmes, Édouard, Badou, Assane, Seyni, Ndeye et Dior.

Le riz au poisson fut délicieux, ils mangèrent dans la chambre de Seyni où on leur servit également des sodas.

Après le repas, ils étalèrent une grande natte devant la chambre sous un auvent donc à l'ombre. De ce fait, l'entrée de la chambre serait sous bonne garde.

Tout le monde était un peu nerveux même s'ils faisaient tout pour le cacher. Il y avait par exemple de drôles de silences vraiment inhabituels.

Dior s'attendait pourtant à des railleries sur leur situation qui ne venaient pas...

Ils se bornèrent à parler de choses banales et aussi éloignées que possible de ce qui les préoccupait ce jour-là.

Édouard était mal à l'aise et cela se voyait comme un bouton au milieu de la figure ! Enfin bref...

Tout le monde devait penser : « pourvu que tout se passe bien et que ce soit bientôt fini ».

Dior avait un peu d'appréhension quant à la douleur et elle pensait que c'était aussi ce qui devait préoccuper Édouard et Ndeye.

Tout d'un coup, ils se retrouvèrent tous les deux seuls dans la chambre fermée.

Édouard lui saisit la main et la broya à lui faire mal.

- « Ça va bien ? Tu n'as pas peur ? »

- « Non ça va, tiens donne-moi le drap, il est là-bas dans le coin ! »

Ils étendirent le drap blanc sur le petit lit en fer et s'assirent dessus en tremblant.

- « Tu peux encore changer d'avis, tu sais Dior ! »

- « Toi aussi, tu peux encore changer d'avis ! Es-tu sûr de vouloir m'épouser moi ?! »

- « J'en suis sûr et toi ? »

- « Moi aussi, j'en suis sûre ! Je t'aime » chuchota-t-elle en se rapprochant de lui.

Alors il la prit dans ses bras et bientôt ils ne surent plus où ils étaient.

Ils avaient complètement perdu le sens de la réalité, oublié les bavardages de leurs camarades dehors, oublié pourquoi ils faisaient tout ça.

Édouard usa de tellement de tendresse, de douceur que Dior ne souffrit pas le moins du monde. Elle sentit juste qu'une immense onde de bonheur la pénétrait toute entière, qu'elle avait attendu cet instant toute sa vie et si elle gémit un peu, ce n'était pas de douleur, mais de joie et d'émerveillement.

Elle voyait dans les yeux d'Édouard tout ce qu'elle ressentait au plus profond de son être. Il était comme un miroir reflétant sa vérité à elle.

Elle n'avait jamais connu de feu aussi ardent.

Combien de temps restèrent-ils là engourdis d'amour, ne voulant pas rompre le charme ?

Des coups discrets furent frappés à la porte et la voix de Ndeye disait : « Il est cinq heures, Dior, il ne faudra pas qu'on tarde à rentrer ! »

- « D'accord, j'arrive dans cinq minutes ».

- « Et elle se tourna vers Édouard qui semblait somnoler : « Il faut qu'on se lève, j'ai promis à ma mère d'être à la maison à cinq heures et demie ! Comment on va faire maintenant ? »

- « Oh, reste encore un peu » grogna-t-il en remettant sa tête sur son épaule.

- « Non je ne peux pas Édouard chéri ».

Il ouvrit les yeux, résigné, et lui dit : « Maintenant, on va provoquer une réunion de famille, la semaine prochaine avec grand-mère, ton père, ma mère et peut-être aussi notre grand-oncle Alboury. Il a de l'autorité dans la famille et il représentera mon père. Si tu veux, en plus du drap, on dira que tu es enceinte, mais je me demande si c'est la peine de mentir. Le drap devrait suffire ainsi que le risque de grossesse. Je vais aller voir oncle Alboury, pour qu'il déclenche la réunion, cela fera plus sérieux ».

Ils se levèrent, il y avait une belle tache rouge sur le drap, de la largeur d'une noix. Elle regarda la tache pensive : c'était donc ça l'honneur, une simple petite tache de sang de rien du tout, et qui disait-on, était parfois remplacée dans certaines familles par du sang de poulet, ni vu, ni connu.

L'objet de tant de respect et de convoitise fut soigneusement plié, remis dans le papier journal, et ce fut Édouard qui le prit sous son bras ; c'était le passeport pour leur futur bonheur à deux.

Quand Dior se mit à marcher, elle eut un peu mal, mais elle essaya de faire comme si de rien n'était.

Édouard la soutint par le bras et s'inquiéta de savoir si elle pourrait marcher... Elle répondit oui, fièrement, et lui fit une petite démonstration d'un pas ferme, en souriant tendrement.

Il décréta qu'il valait mieux qu'elles rentrent en calèche, et de toute façon cela irait plus vite...

Ils sortirent sous les regards un peu inquiets de leurs amis et Édouard brandit le drap roulé dans le papier en souriant et dit : « Tout va bien ».

Alors, à partir de là, toute la bande retrouva sa bonne humeur et les sempiternelles railleries recommencèrent à fuser.

- « Vous avez l'air radieux après cette nuit de noces... »

- « Désolé, il n'y avait pas de griots pour chanter ».

- « Vraiment désolé, mais les amis n'ont pas pu venir, car ils n'ont pas été prévenus à temps, mais cela pourra s'arranger, on peut très bien fêter ça après coup... »

Ndeye vint embrasser Dior les larmes aux yeux : « Je te félicite et tous mes vœux de bonheur pour vous deux » lui dit-elle tout bas à l'oreille.

- « allez, on y va » dit-elle plus haut.

Tout le monde se dit au revoir et Dior les remercia plus particulièrement de l'amitié et de la solidarité dont ils avaient tous fait preuve.

Il y eu des protestations, Édouard lui ne disait rien et les raccompagna jusqu'à la calèche qui attendait devant le portail.

Il installa Dior comme si elle était une sorte de trésor en sucre.

- « Aujourd'hui, repose-toi surtout, dors bien, si tu as mal au ventre ou quoi que ce soit, envoie un gamin me le dire. D'accord !? Demain soir, je viendrais derrière la palissade. Ma mère commence à se demander pourquoi, elle ne te voit plus chez nous, mais laisse dire, ils le sauront bientôt ! Tu peux quand même passer voir grand-mère si tu veux ! Allez, sauvez-vous ! »

Sur le chemin, elles ne parlèrent pas beaucoup et avaient l'air un peu pensives.

Ndeye lui demanda juste si cela faisait aussi mal qu'on le disait et Dior lui dit que non et qu'elle espérait bien qu'elle n'avait pas crié sans s'en rendre compte.

- « Non, juste des gémissements presque inaudibles ».

Elle la raccompagna jusque dans sa chambre, et la laissa qu'une fois couchée dans son lit.

Elle avait prévenu ses sœurs qu'elle avait très mal à la tête pour ne pas risquer d'être dérangée et pour pouvoir se reposer comme il faut en évitant les tâches ménagères.

En réalité, elle avait hâte de se retrouver seule avec ses souvenirs de l'après-midi. Et quels souvenirs !

Elle venait de passer le plus beau jour de sa vie, et elle était sûre de ne jamais l'oublier et qu'aucune femme n'oublie ce genre d'événement.

Elle se coucha donc sous ses pagnes comme avec un bon roman d'amour qu'elle voulait déguster, déguster...

- « Pourvu que l'on me laisse tranquille ce soir » pensa-t-elle.

CHAPITRE 6

Tout se précipita quand le lendemain, Rama surprit Dior venant juste de son rendez-vous avec Édouard derrière la palissade au beau milieu de la nuit.

Elle se mit à rire en disant :

- « Je comprends mieux pourquoi tu as l'air résignée de te marier avec Moussa car tu te fais consoler d'un autre côté par ce cher cousin Édouard. En fait, tu joues sur les deux tableaux, mais heureusement je vais mettre de l'ordre dans tout ça. Je ne vais pas te laisser déshonorer toute la famille et moi avec... Espèce de dévergondée ! »

Et voilà Rama, championne de l'honneur...

Dior était trop lasse de ses manigances et de ses manières pour lui répondre sur le même registre.

Elle lui dit de faire ce qu'elle voulait du moment qu'elle lui épargnait ses discours.

Elle eut du mal à s'endormir, car elle se doutait du remue-ménage et de l'émoi que cela allait provoquer.

C'est dommage qu'ils ne puissent pas appliquer leur plan jusqu'au bout avec efficacité, sans bavure, de la façon la plus civilisée qui soit.

Au lieu de quoi, les cris allaient retentir, la voix de son père gronder, et Rama alimenterait les commérages avec les bonnes, ses amies ou les voisins. Elle se ferait un plaisir de raconter comment elle avait pincé sa sœur à son rendez-vous nocturne, elle, la digne fiancée de Moussa.

Après avoir réfléchi toute la nuit, Dior décida de mettre en œuvre la suite de leur plan le matin même sinon ils risquaient d'être dévorés par le scandale et la rumeur, et le déshonneur qu'ils voulaient éviter serait quand même là malgré tous leurs efforts.

Elle se glissa donc hors du lit pour rédiger une petite lettre à l'intention d'Édouard et attendit les yeux grands ouverts que Sally se réveille pour lui demander d'aller chez sa marraine et de le lui remettre en main propre au saut du lit.

À partir de là tout se déclencha et alla très vite...

Dans la matinée, Dior eut droit à la colère de ses parents et une gifle retentissante en prime.

Pendant l'engueulade qui s'ensuivit dans le huis clos de la chambre de sa mère, elle apprit bouche bée le montant de la dot, dont une partie avait déjà été touchée et dépensée.

Elle resta muette de saisissement en priant que le dénouement se fasse au plus vite et dans le sens qu'elle souhaitait...

Le doute l'a reprit, cette histoire commençait à lui user les nerfs.

Elle fut consignée dans sa chambre avec interdiction totale d'en sortir.

Rama se promenait rayonnante dans toute la maison en parlant haut et fort, riant pour un oui ou pour un non. Quel triomphe !

De sa chambre, Dior pouvait observer et entendre beaucoup de choses. Donc elle vit passer un de ses cousins habitant chez l'oncle Alboury venir voir son père.

« Ouf, se dit-elle, Édouard a tout mis en route. Dieu merci ! »

Son père appela sa mère dans la cour et lui demanda son grand boubou bleu brodé en précisant qu'il devait aller à une réunion de famille avec Alboury.

Dior ne tint plus en place et attendit avec fièvre son retour.

Sa mère qui avait un peu pleuré ce matin avait mal à la tête et était couchée dans sa chambre.

Rama jacassait à qui mieux mieux dans la cour comme si elle se dépêchait d'accaparer l'espace abandonné avant qu'on le lui dénie. Elle savourait le fait d'être la seule vedette ce jour-là.

Sally était comme d'habitude solidaire avec Dior, mais elle ne comprenait pas bien les enjeux.

Et Ndeye arriva sur ces entrefaites.

Rama la salua d'une façon triomphale et trop aimable pour être honnête.

Elle entra interloquée dans la chambre en chuchotant : « Qu'est-ce qui lui arrive à elle, elle est malade ? Je ne l'ai jamais vue aussi avenante ! »

Elle comprit tout quand Dior lui raconta le pétrin dans lequel elle était à cause de cette peste de Rama.

Elle lui tint compagnie en lui remontant le moral toute l'après-midi.

Le père revint et gronda sourdement en direction de la mère installée sur sa natte qu'il voulait les voir elle et Dior et en quatrième vitesse, et s'engouffra de rage dans la chambre.

La mère fut debout d'un bond et Dior aussi. Elle lui dit d'une voix terrorisée « ton père veut te voir tout de suite ! Et toi, Ndeye, tu n'as rien à faire chez toi au lieu de toujours traîner ici ? Va aider ta mère ! »

Oh la la, ça chauffait déjà... Ndeye ne se le fit pas dire deux fois.

Le père était en colère et malheureux. On ne l'avait jamais vu comme ça. Il déroula le drap taché devant la mère, qui se retint de hurler en mettant ses mains devant sa bouche

- « Qu'est-ce que c'est ça, Alassane ? » articula-t-elle en roulant de grands yeux, « Bissimilaye ! »

- « Ça répondit-il, c'est ce que ta fille nous a fait ! Ça, c'est le sang de ta fille, le sang qu'elle a donné soi-disant exprès pour ne pas se marier avec Moussa et nous désobéir. Ça comme tu dis, c'est son sang qu'elle a offert à ce vaurien de catholique qui ne peut même pas gagner sa vie à plus forte raison la sienne. Ça, vois-tu Ami, c'est le résultat de l'éducation désastreuse que tu donnes à tes enfants, c'est notre malheur à cette famille. Car qui allaite une vipère ne doit pas s'étonner d'être mordu un jour. Ça, comme tu dis, c'est la dernière chose que j'aurai voulue pour nous ! » Il se tut fatigué, pendant que la mère se tordait et se tenait la tête dans les mains en gémissant « Ouille yaye yo, ouille yaye yo ».

Dior était comme sortie de son corps, elle entendait tout, mais ne sentait plus aucun de ses membres, sa vue était considérablement brouillée.

- « Arrête de te lamenter ! Quand on n'est pas capable de faire son travail comme il faut, on ne vient pas se lamenter ensuite. Vous ne manquez de rien toi et tes enfants, je fais tout pour vous guider dans le droit chemin et le chemin de Dieu, je m'efforce de vous donner le bon exemple et le résultat, il est là » disait-il en frappant rageusement le drap d'un bras vengeur.

Il continua un peu calmé : « Nous allons devoir rendre l'avance sur la dot que nous avons reçue de Moussa ! Nous vendrons le terrain derrière la maison pour ce faire. Après le délai réglementaire de trois mois, si elle n'est pas enceinte, nous devrons procéder à son mariage avec son voyou, sans fanfare cela va sans dire. Encore heureux qu'il soit le fils de ma sœur sinon je crois que je l'aurai tué. Comme mauvais parti, on ne peut pas mieux trouver. Ils iront vivre dans la maison familiale avec ma mère et ma sœur. Espérons qu'il aura un jour la dignité de gagner enfin sa vie et celle de Dior et de ne plus être une charge pour sa famille. Quant à toi, persifla-t-il en la transperçant d'un regard que Dior ne put soutenir, je ne te pardonnerai jamais ce que tu as fait et à ta mère non plus... Tu m'as désobéi, pire, tu m'as ridiculisé, humilié. Je ne peux te renier, mais ne m'adresse plus la parole pendant le temps qu'il te reste à vivre ici. J'aurai dû te chasser de ma maison, mais je ne le ferai pas. Tu peux manger, dormir, mais ne t'avise plus de te mêler de quoi que ce soit dans ma maison, tu ne seras plus que tolérée ici. Je ne veux plus voir non plus ta clique chez moi. À la moindre incartade, tu verras de quel bois je me chauffe. »

Sa mère avait toujours la tête entre ses mains, anéantie, elle sanglotait doucement.

Dior pleurait doucement aussi. Amère victoire !

Elle était rejetée par ses parents qu'elle aimait et pour qui elle aurait fait n'importe quoi sauf renoncer à Édouard.

Ils lui avaient demandé la seule chose au-dessus de ses forces. Et maintenant elle était la cause de leur malheur, donc ils la bannissaient, pire elle ne sera plus que tolérée…

Elle se leva et passa en larmes dans la cour devant l'œil réjoui de Rama, celui consterné et malheureux de Sally, ceux inquiets ou indifférents des autres habitants de la maison paternelle, c'est à dire, la coépouse de sa mère et son fils âgé de cinq ans tout juste, les bonnes...

Les trois mois réglementaires furent très pénibles pour elle. Elle essayait d'être la plus discrète possible. Toujours dans sa chambre ou faisant un travail domestique, ne pouvant plus ni recevoir ses amis, ni sortir si ce n'est pour aller à la fontaine ou faire une course chez l'épicier du coin. Elle profitait parfois de ces sorties pour courir chez Ndeye la voir un peu.

Le pire était qu'elle ne voyait plus Édouard librement, à part quand elle allait chez sa grand-mère pour une raison tout à fait familiale ou domestique. Sa Tante Salimata ne lui adressait plus la parole, elle la fustigeait du regard avant de détourner la tête sans répondre à son salut.

Ils affrontaient crânement les regards chargés de désapprobations ou de sous-entendus et ils essayaient d'échanger rapidement quelques mots, des encouragements, en gardant leurs distances, car bien sûr ils ne voulaient pas faire de provocation.

Lui, maintenant, il travaillait comme électricien, mais ne gagnait pas grand-chose, juste de quoi mettre un peu de côté pour leur acheter un grand lit, un lit qui sera certainement trop grand pour sa petite chambre, qui était appelée le débarras, car c'en était un avant.

Ils serraient donc les dents et les poings en attendant d'être réunis.

Elles étaient à l'écoute de son corps afin d'y déceler le moindre signe de grossesse et d'en informer la famille.

D'ailleurs personne n'avait daigné lui expliquer ce qu'on entendait par « signe de grossesse », mais tant pis, elle s'était débrouillée avec Ndeye et Édouard, ils s'étaient sérieusement renseignés.

Autant dire qu'elle priait de toutes ses forces pour ne pas être enceinte, car cela aurait considérablement retardé leur vie commune.

Aucun mariage ne devait être célébré pendant la durée d'une grossesse. Neuf mois d'attente ! Neuf mois encore, dans cette situation pénible, dans une famille hostile.

Ce n'était pas sûr que la « nouvelle » famille soit moins hostile, vu l'attitude de sa tante Salimata, mais il y aurait au moins Édouard à côté d'elle.

Elle avait hâte de rejoindre Édouard dans son petit débarras et malgré le manque d'argent, les brimades, elle serait certainement la plus heureuse des femmes si elle pouvait tous les soirs s'endormir dans ses bras.

Tout cela lui semblait pour le moment lointain, inaccessible...

Pendants ces mois-là, elle lisait, dans les yeux la réprobation muette et quasi générale.

Certains de ces regards étaient pleins de reproches : « Comment avez-vous osé tant d'ingéniosité pour briser une fatalité qui nous était commune à tous, notre bien à tous ? »

Tout un système accepté par tous sauf par eux, coupables d'amour et d'insouciance à l'égard de toute la communauté.

Ces regards tentaient de signifier à Dior sa mise à l'écart, mais en même temps elle y sentait parfois une sorte d'envie et d'admiration.

Car enfin, quels secrets se cachaient derrière tant de détermination ?

Quel bonheur inconnu d'eux tous pouvait insuffler tant de courage ?

Quel amour pouvait franchir tous ces obstacles dressés par eux et solidement dressés. Quelle insolence !

Elle vit Ndeye arriver dans leur cour, tout excitée et qui la prenait par le bras en disant « Viens, viens vite ».

- « Mais où ? »

- « Allez dépêche-toi, on nous attend, grouille ! »

Et elle fut entraînée dans la rue sans comprendre ce qui se passait.

Une sorte de clameur s'amplifiait petit à petit et une foule arrivait à quelques centaines de mètres de la porte de leur maison.

Ndeye exultait et lui secouait le bras, « regarde Dior, regarde bien, c'est une manifestation ! Nous n'allons pas nous laisser faire ! »

- « Mais une manifestation, pour quoi ? »

- « Allez viens, allons à leur rencontre ! »

Et elle la tira, elles coururent, allant dans leur sens.

Dior commençait à distinguer des sortes de drapeaux blancs agités au-dessus des têtes ou en banderoles avec des écritures rouges.

- « Qu'est-ce qui se passait ? Quelle était cette manifestation ? Contre qui, contre quoi ? se demandait-elle, pourquoi devrais-je y participer ? Pourquoi Ndeye m'entraînait-elle comme cela sans m'expliquer ? »

Comme elles s'approchaient de plus en plus, Dior commençait à entendre les slogans : « Vous voulez du sang ! Voici notre sang ! Le jour du grand sacrifice est arrivé ! »

Dior se disant : « Qu'est ce que c'est que cette histoire de sang ? Ce n'était pourtant pas le jour de la fête du mouton. Le seul jour de sacrifice que je connaisse ! »

Mais plus elles avançaient, plus germait une idée dans son esprit ; un début de compréhension.

Oui maintenant elle comprenait mieux.

Car cette foule qui déboulait, n'était composée que de femmes ou plutôt des jeunes filles, des filles de son âge, les drapeaux blancs étaient en fait des draps blancs et ces draps étaient tachés de sang, le sang de leur virginité sacrifiée !

Mon Dieu, elle venait de tout comprendre !

Quelle mouche les avait donc piquées pour qu'elles se révoltent et manifestent ainsi ?

Bientôt elles furent dans les premiers rangs, on leur mit une banderole dans les mains et comme leurs camarades, elles se mirent à hurler à leur tour les mêmes slogans rageurs.

Les gens sortaient des maisons et les regardaient passer médusés par tant d'audace. Quel panache ! Qu'ils se le prennent pour dit !

Et elles hurlaient de plus belle... Elles étaient survoltées, ivres d'espoir ! Qui oserait les sacrifier encore après cela !

Ils tremblaient tous de peur devant leur porte sur leur passage. Pères, mères, oncles, tremblez, tremblez maris potentiels, tremblez tous, vieux

gardiens d'une tradition à votre service exclusif !
Désormais plus question de mariages arrangés,
d'enrichissement sur notre dos, de servitude dans
des foyers faits et conçus pour vous seuls !
Terminé ! Plus de jouissance sans nous !

Tout à coup, quelqu'un cria « la police, la police
fuyez ! ».

Il s'ensuivit une cavalcade et tout le monde se mit
à courir dans tous les sens, les unes piétinant les
autres qui étaient tombées, les draps tachés dans
la poussière, les matraques pleuvaient sur celles
qui ne courraient pas assez vite.

Dior ne sut comment elle put se relever après
avoir trébuché sur un corps et elle courut dans une
maison non loin de là, poursuivie par des
policiers.

Une vieille femme la tira dans sa chambre et la
cacha sous son matelas, haletante.

Le matelas puait et la paille qui dépassait de la
toile de jute la piquait, mais elle retint sa
respiration jusqu'à ce que les pas se furent
éloignés. Et là de fatigue, elle s'endormit dans la

puanteur de cette chambre de vieille femme décatie et solitaire.

À son réveil, elle constata qu'elle était dans sa chambre, dans son lit et les bruits quotidiens de la maison filtraient à travers sa porte. Elle entendait sa mère qui parlait.

Ainsi donc, elle avait rêvé tout cela ! Dommage et en même temps quel cauchemar !

Distraitement, elle se mit à écouter ce que disait sa mère.

- « Je te demande simplement pourquoi la cuisine est dans cet état, car c'était ton tour hier. Moi quand c'est mon tour, je te laisse une cuisine impeccable et bien rangée. Alors que toi, tu me laisses des ustensiles dégueulasses, les fourneaux n'en parlons pas... J'en ai assez ! Tu pourrais faire un peu attention. Ce matin j'ai encore perdu le temps à remettre de l'ordre au lieu de faire le petit déjeuner d'Alassane ».

- « Mais chère Aminata, si tu n'es pas contente, tu peux toujours aller te plaindre à notre cher mari commun. Comme en ce moment, tu ne devrais pas trop la ramener avec cette histoire pas très honorable avec ta fille. Moi, à ta place, je la mettrai en veilleuse... »

- « Quelle histoire avec ma fille ? Il n'y a pas de déshonneur puisque le drap taché est entre nos mains. On sait où cela s'est passé, comment et avec qui ! Où est le déshonneur ? Ne parle pas trop vite, car tu ne sais pas comment tes filles et toi finirez. Je pense que toute femme devrait être prudente sur ce sujet-là ! »

- « Moi, mes filles je les éduquerai comme il faut et fais-moi confiance, elles n'iront certainement pas épouser un catholique, Dieu l'a interdit. »

- « Et alors, c'est Dieu lui-même qui l'a voulu ainsi. Qu'est-ce que j'y peux ? Au moins ce n'est pas un étranger, mais son cousin germain. Toi, fais attention à ce que Dieu te réserve ! De toute façon, ne change pas de sujet ! Tu n'es qu'une souillon, j'en ai marre de passer après toi dans une cuisine dégueulasse, je te préviens tout de suite que je ne me laisserai pas faire ! La prochaine fois il y a aura des représailles, fais bien attention ! »

- « C'est ça, je suis prévenue ! Tu ne peux rien contre moi ! Si je demande l'arbitrage d'Alassane, tu sais bien que ce n'est pas à moi qu'il donnera tort ! Alors, fous-moi la paix, je n'ai pas que cela à faire que de nettoyer la cuisine pour toi ! »

- « En tout cas, je t'aurai prévenue ».

Et Dior n'entendit plus rien, que les pas de sa mère qui s'éloignaient et l'autre femme de son père qui continuait à marmonner des choses comme une litanie.

« Pauvre mère ! pensa Dior. Et voilà, le ton est donné ! »

Cette histoire de drap et de catholique allait me poursuivre toute ma vie ! Et ce n'était que le début de ma vie ! Oui, toute ma vie, j'allais en entendre parler, encore plus que je ne l'avais soupçonné dans l'immédiat.

CHAPITRE 7

Dieu Merci, Dior n'était pas enceinte, leur supplice fut donc écourté et le mariage put avoir lieu, bien sûr tout ce qu'il y avait de plus symbolique, ni tambour, ni trompette, ni aucune mine réjouie sauf celles de Dior et d'Édouard…

Amère victoire…

Le soir même, ils se retrouvèrent comme par magie, dans la toute petite chambre d'Édouard, entre tristesse pour leur mise en quarantaine familiale et sociale, et joie de se retrouver enfin seuls et mariés…

Amère victoire…

Cela fut, difficile, car rien ne leur fut épargné…

Les allusions à Édouard sur sa situation financière, sur le fait que sa femme et lui étaient à la charge de la famille, malgré qu'il travaillait dur comme électricien du matin jusqu'au soir, c'est vrai, il ne gagnait pas encore de quoi être autonome…

Tous les travaux domestiques de toute la famille firent affectés petit à petit à Dior et les deux domestiques qui s'en chargeaient avant furent renvoyées, l'une, puis l'autre, sous diverses raisons…

Fini le temps de l'adolescence et de l'insouciance…

Ils serraient les dents, travaillaient comme des damnés et se retrouvaient le soir complètement vannés… Ils ne savaient plus ce que s'amuser voulait dire, la joyeuse bande de copains d'avant ne venait plus trainer dans la maison, Dior avait à peine le temps de parler un peu avec Ndeye quand elles se croisaient au marché ou à la fontaine… La cuisine, le linge, le repassage…

De plus Dior était très souvent critiquée au sujet des travaux ménagers qu'elle accomplissait courageusement, sa tante Salimata et néanmoins belle-mère était intransigeante ou très rancunière avec celle qui lui avait volé son fils sans sa permission et sans lui demander sa bénédiction, en usant d'un plan machiavélique comme elle n'en avait jamais vu…

Elle se disait en son for intérieur que c'était de bonne guerre d'agir comme cela avec cette effrontée de Dior…

Elle aurait voulu choisir elle-même la compagne de son fils le moment venu comme font toutes les mères, au lieu de cela, elle n'avait eu aucun choix que de l'accepter elle, le fait qu'elle soit sa nièce, fille de son frère ainé ne changeait rien à l'affaire, ne changeait rien à l'affront… Quelle impudente quand même cette Dior.

Maintenant elle allait lui apprendre à vivre, elle allait la mater, car ici c'était elle qui commandait…

Ce fut encore plus dur quand Dior fut enceinte, Édouard se remit aux études, et mena de front son travail et des cours du soir. Il avait décidé de passer un concours pour entrer dans l'Administration…

Ils savaient qu'ils devaient se sacrifier pour avoir droit à un avenir meilleur pour leur petite famille, ils rêvaient d'être enfin autonomes, de louer une petite maison rien que pour eux, loin de cette ambiance pesante familiale…

Le soir, fourbus, mais heureux d'être dans les bras l'un de l'autre dans leur petite chambre, ils faisaient des plans et se projetaient dans une vie souriante et colorée…

Entre eux et le reste de la famille, cela s'était un peu tassé en apparence, mais une animosité resurgissait parfois à l'occasion d'échanges un peu tendus souvent provoqués par des petits riens… Personne n'avait vraiment oublié leurs forfaits, on s'en accommodait, c'est tout…

Dior accoucha d'une jolie petite fille, Édouard en tomba instantanément amoureux, ainsi que tous les autres membres de la famille sans exception…

Le baptême eut lieu sept jours plus tard et fut grandiose comme pour rattraper leur mariage un peu honteux et symbolique…

Après cette fête mémorable qui dura trois jours, le calme retomba sur la maison, qui reprit son train-train quotidien…

Dior pensa que c'était définitivement gagné, que leur famille s'était maintenant consolidée avec cette merveilleuse enfant qui venait de naitre, que leurs incartades passées seraient complètement oubliées, et qu'ils auraient enfin droit au respect et au bonheur…

Elle eut un peu de répit concernant les travaux ménagers afin de s'occuper de son bébé…

CHAPITRE 8

L'accalmie fut de courte durée, tout recommença comme avant la naissance de sa fille, les travaux de la maison trop durs pour elle seule, les engueulades, les critiques concernant sa cuisine soi-disant trop salée, le linge soi-disant mal repassé…

Sa petite fille pleurait beaucoup, elle l'accrochait à son dos afin de pouvoir vaquer à toutes ses occupations, car personne ne voulait s'en occuper à sa place…

Édouard était absent toute la semaine, en stage dans une ville située à une centaine de kilomètres de là… Quand il rentrait le vendredi dans la nuit, il était si fatigué le pauvre…

Dior avait encore plus de travail le week-end, car elle devait laver les habits qu'Édouard avait portés dans la semaine, les sécher et les repasser en 2 jours pour qu'il puisse repartir avec du linge propre le dimanche soir…

Malgré tout cela, Dior se comportait tous les jours en brave petit soldat, ses moments de découragement ou de contrariété ne duraient jamais longtemps…

Cependant elle n'en pouvait plus, les cris de son bébé la mettaient de plus en plus sur les nerfs, elle supportait de moins en moins les critiques de sa tante, son mépris, les absences d'Édouard…

Son humeur optimiste et sa volonté farouche de bonheur furent véritablement ébranlées, le jour où elle mit la radio pour écouter un peu de musique le soir et que sa tante vint lui signifier d'éteindre immédiatement, car ce n'était pas son mari qui payait l'électricité dans cette maison…

Ce fut la goutte d'eau qui fit déborder le vase… Son moral en fut durablement atteint… Quand Édouard rentra, elle vida tout ce qu'elle avait sur le cœur, il essaya de la consoler et de lui redonner le sourire en vain…

Les semaines qui suivirent, la pauvre Dior se débattait dans une déprime de plus en plus profonde… Son humeur devint massacrante, elle ne se laissa plus gronder par sa tante sans répliquer vertement, l'ambiance entre elles se détériora à vive allure…

Quand Édouard rentrait le vendredi soir, il ne pouvait que constater impuissant cette ambiance délétère.

Il essaya de toutes ses forces de faire entendre raison à Dior

« Chérie, disait-il, c'est bientôt fini, je termine mon stage dans 2 semaines, je t'en prie, supporte encore un peu, nous serons bientôt chez nous »

Mais les nerfs de Dior étaient usés, elle était fatiguée, amaigrie, il lui aurait fallu du repos et c'était impossible.

Une semaine plus tard, un dimanche, à midi, toute la famille était réunie devant un grand plat fumant cuisiné par Dior, et Tante Salimata se mit à lui faire des reproches comme à son habitude…

« Dior arrête de manger du piment, tu sais très bien que ce n'est pas bon pour ta fille, car le piment passe dans le lait qu'elle boit dans ton sein… »

Dior ne dit rien et continuant à prendre tranquillement du piment dans ses bouchées.

Tante Salimata continua « Vous voyez tous, elle ne m'écoute pas, elle ne m'écoute jamais… Édouard, tu devrais lui dire toi »

Et Édouard dit mollement « Dior, c'est vrai, arrête, il parait que ce n'est pas bon pour la petite… »

Dior se leva d'un bond, se lava les mains et alla dans la chambre en disant « de toute façon tu prends toujours le parti de ta famille contre moi !!! »

La famille continua de deviser tranquillement autour du plat comme si de rien n'était, sauf Édouard inquiet et qui se demandait ce que Dior étant en train de faire si bruyamment dans leur chambre…

Il termina vite pour aller retrouver Dior

Il regarda ahuri les deux valises ouvertes sur le lit, et Dior en train de plier des vêtements…

« Qu'est-ce que tu fais ? »

« Je rentre chez mon père, je n'en peux plus »

« Tout ça pour du piment ? »

« Non gronda-t-elle entre ses dents, non, tout ça pour tout ce que je subis tous les jours dans cette maison, tout ça parce que j'en ai marre d'être la boniche de tout le monde, d'être le souffre douleur de ta mère, tout ça parce que tu es incapable de faire respecter ta femme par ta famille, et qu'en plus tu prends tout le temps leur parti contre moi !!! »

Mais je n'ai rien dit se défendit-il, rien qui puisse te mettre dans cet état, sois raisonnable…

« Édouard, je veux divorcer, j'en ai marre, tu entends !? »

Il essaya de la prendre dans ses bras, elle le repoussa « Non, laisse-moi passer !!! »

Il la connaissait bien, quand elle était dans cet état, il valait mieux la laisser se calmer toute seule et elle verrait bien ensuite l'absurdité et la disproportion de sa réaction… Il s'allongea dans ce qui restait comme place sur le lit et ferma les yeux pour faire sa sieste habituelle…

Dior était prête à partir avec armes et bagages

« Réveille-toi Édouard, voici 2 témoins, donne-moi le divorce »

Il grommela « arrête tes bêtises Dior, laisse-moi dormir… »

« Ce ne sont pas des bêtises, je te le répète, donne-moi le divorce, après tu pourras dormir tout son soûl… »

Excédé, Édouard, lui dit sans ouvrir les yeux, « allez d'accord, je te donne le divorce, et maintenant laisse-moi dormir… »

Dior se tourna vers ses deux témoins qu'elle avait été chercher dans la rue juste devant la maison en disant « Voilà, vous êtes témoins, maintenant, je peux m'en aller… Venez avec moi pour le répéter à mon père… »

Elle passa devant toute la famille silencieuse avec sa fille dans ses bras, les deux valises portées par ses témoins…

Ils eurent juste la place du marché à traverser pour aller chez son père où le même silence indifférent l'accueillit, elle dit laconiquement à son père qui finissait son repas, « Père, Édouard m'a accordé le divorce, voici les deux témoins qui ont entendu la phrase rituelle »

Puis, elle se dirigea vers son ancienne chambre où elle entreprit de s'installer sous le regard désolé et inquiet de sa petite sœur Sally…

Le soir, une fois calmée et couchée dans son petit lit, avec son bébé, elle se mit enfin à réaliser ce qu'elle avait fait, elle ne put s'endormir, elle pria fort qu'Édouard vienne la rechercher dès le lendemain d'autant plus que son calvaire tirait à sa fin, car Édouard devait commencer à travailler dans une semaine… Quelle bêtise de partir juste à quasiment une semaine de leur libération du joug familial… Quelle mouche l'avait donc piquée pour qu'elle agisse comme cela, aveuglée par la colère et l'orgueil…

Elle se dit pleine d'espoir, que rien n'était perdu, que Édouard viendrait la chercher dès le lendemain, on avait vu cela chez beaucoup de couples, cela se faisait souvent et l'homme ou un membre de sa famille venait parlementer pour tout arranger… Donc pas d'inquiétude à avoir… Elle s'endormit complètement rassurée avec cette idée…

Les jours suivants, ni Édouard qui était reparti à sa dernière semaine de stage, ni aucun membre de sa famille n'étaient venus la chercher…

Elle attendit le week-end avec espérance…

Le samedi, un de leurs cousins fut envoyé, pour emmener sa fille voir son père lui avait-il dit…

Et de tout le week-end, elle ne vit pas une seule fois Édouard, l'orgueil l'empêcha d'aller le voir, elle… C'est vrai que dans cette société, c'était comme ça, c'était à lui de venir la chercher… C'était le code de la société où ils vivaient…

Elle n'en revenait pas de la tournure que prenaient les choses, aucun membre de sa famille à elle, ni aucun membre de sa famille à lui, de leur famille commune, n'avait essayé d'arranger les choses, c'est incroyable, cela ne se passait jamais comme cela d'habitude dans la communauté… De plus avec un motif de dispute aussi mince…

Mais décidément rien dans leur histoire ne se passait comme d'habitude…

Et le temps passa, sans qu'ils pussent, ne serait-ce que se parler, tout se passa comme s'ils n'avaient jamais été amoureux, jamais été mariés…

Il envoyait de temps en temps quelqu'un chercher sa fille et passait du temps avec elle, puis la faisait ramener, quand ils se croisaient, ils se saluaient poliment comme des étrangers, sans plus…

C'était comme si leur histoire n'avait jamais existé, était effacée, niée…

Et personne n'en parlait dans la famille autour d'eux…

Ndeye avait bien essayé de l'aider en allant parler à Édouard, mais celui-ci avait été glacial et avait rétorqué que c'était Dior qui était partie pour un rien, tant pis… Ses amis à lui avaient aussi vaguement essayé, même résultat…

Dior pleurait toutes les nuits en serrant son enfant dans ses bras, comme si son bébé était sa bouée de sauvetage…

Elle continuait de croire dur comme fer à leur amour et à croire qu'il viendrait bientôt la chercher, que bientôt il la prendrait dans ses bras et que tout redeviendrait comme avant…

Édouard lui envoyait une petite pension alimentaire pour sa fille à chaque fin de mois, puis Tante Salimata suggéra à son fils de plutôt donner une petite somme chaque jour afin d'éviter que cet argent mensuel ne serve à l'achat d'une robe à la mère plutôt qu'au lait de sa fille…

Dior était abasourdie quand cela lui arriva aux oreilles, mais son orgueil l'empêcha de protester et chaque matin elle eut l'humiliation suprême de voir arriver un gamin avec la petite somme dérisoire dans sa main, c'était la pension alimentaire journalière…

Puis, vint le temps où on lui dit que sa fille était sevrée, qu'elle était maintenant assez grande, pour vivre avec son père dans sa famille… Elle savait qu'elle n'avait pas son mot à dire à ce sujet, que le père est tout puissant dans ce domaine et a le droit de récupérer son enfant si ça lui chante… Elle eut très mal, mais se consola en se disant qu'après tout elle n'avait que la place du marché à traverser, que la petite allait vivre chez sa tante Salimata et sa grand-mère, dans la maison où son père avait sa boutique, pas chez des étrangers, et qu'elle pourrait la voir tous les jours… Donc elle ne fit pas d'opposition bien que cela la rendit très malheureuse…

Et un beau jour, Édouard se fiança et puis se maria très rapidement avec une fille qui détestait Dior par-dessus tout…

Elle crut qu'elle allait mourir quand elle l'a apprit, cela anéantissait tous ses rêves de réconciliation avec lui et cela l'inquiéta énormément pour sa fille…

Quelle vie allait avoir sa pauvre petite fille dans tout ça ?

Elle décida avec aplomb et détermination d'aller réclamer sa garde…

On lui répondit avec mépris, qu'elle n'avait pas la capacité de s'en occuper correctement, et tous ses pleurs et supplications n'y firent rien, ils étaient tous contre elle, Édouard, Tante Salimata, son propre père, sa grand-mère…

Dior était désespérée et seule au monde, elle n'avait aucun droit, aucun mot à dire sur le destin de sa propre fille, aucun recours face à sa propre famille.

Elle pensa porter plainte au tribunal, mais cela ne s'était jamais vu dans leur petite ville et qui plus est, porter plainte contre sa propre famille…

On lui faisait déjà payer très cher sa révolte passée…

Elle ne tarda pas à apercevoir la nouvelle femme d'Édouard paradant dans les rues avec sa fille à elle dans les bras, comme pour la défier, pour la narguer, chaque fois, elle aurait voulu crier, son cœur était meurtri, jamais elle n'aurait cru Édouard capable de lui infliger de telles souffrances…

Leur histoire d'amour était donc bel et bien terminée et elle ne s'expliquait pas comment ils en étaient arrivés là…

De temps en temps Dior, s'habillait avec soin et allait frapper courageusement à la porte d'Édouard et de sa femme pour pouvoir voir son bébé, car Édouard ne lui permettait même pas de passer des journées avec sa fille, chez elle…

Quelle cruauté ! Au lieu de ça, elle devait affronter leur hostilité, en terrain ennemi, chez eux, pour pouvoir la voir un petit peu.

Parfois, elle se demandait, s'il ne faisait pas tout cela pour la punir de son orgueil, d'être partie juste pour une histoire de piment, et de ne pas être revenue s'excuser les jours suivants, par orgueil...

Alors peut-être qu'il se vengeait en la privant de sa fille, pour la faire souffrir autant que lui souffrait... Elle en était sûre, il l'aimait toujours...

Malheureusement sa fille souffrait aussi par la même occasion, pauvre petite... Le destin ne l'avait pas épargnée.

Elle n'avait plus de larmes, et inlassablement, elle se demandait ce qui avait bien pu leur arriver !

Paris, 15 décembre 1995

TABLES DES MATIÈRES